6 학년이  알아야 한

나만의 비밀
교정 수첩!

너한테만
살짝 보여
줄께!

수학 문장제!

밑줄쫙!

수학 학력 평가의 새로운 기준!

현직 교수, 박사급 출제위원!

빅데이터 평가분석!

Ai

1:1 KMA 평가 전문 상담!

KMA
한국수학학력평가

평가 일시 : 매년 상반기 6월, 하반기 11월 실시

수학 학력 평가의 새로운 기준!

KMA
Korean Mathematics Ability Evaluation
한국수학학력평가
대비서

초 **3**학년

◆ 단원 평가
◆ 실전 모의고사
◆ 최종 모의고사

한국수학학력평가 연구원
홈페이지 : www.kma-e.com

◆ 참의 사고력 도전 문제 동영상 강의 QR 코드 무료 제공
◆ 정답과 풀이 뒷면에 동영상 강의 QR 코드를 확인하세요.

참가 대상	초등 1학년 ~ 중등 3학년 (상급학년 응시가능)
신청 방법	1) KMA 홈페이지에서 온라인 접수 2) 해당지역 KMA 학원 접수처 3) 기타 문의 ☎ 070-4861-4832
홈페이지	www.kma-e.com

※ 상세한 내용은 홈페이지에서 확인해 주세요.

주 최 | 한국수학학력평가 연구원   주 관 | ㈜에듀왕

KMA 대비서

6학년이 꼭✓ 알아야 할 수학 문장제

수학 문장제의 구성

① 1학년부터 6학년까지 각 학년별 한 권씩으로 구성되어 있습니다.

② 상위권 학생은 물론 중하위권 학생까지 누구나 쉽게 공부할 수 있도록 구성하였습니다.

③ 각종 수학 문장제를 해결하는 방법을 명쾌히 제시하여 수학 문장제에 자신감을 얻도록 하였습니다.

④ 자학자습용으로 뿐만 아니라 학원에서 특강용으로 활용할 수 있도록 구성하였습니다.

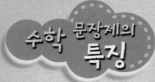

수학 문장제의 특징

탐구문제
각 문장제의 원리를 알 수 있도록 구성하였습니다.

확인문제
탐구문제에서 터득한 원리를 확인할 수 있도록 하였습니다.

동메달 따기
문장제의 기본 원리를 적용하여 문제 해결을 함으로써, 자신감을 갖도록 하였습니다.

은메달 따기
동메달 따기에서 얻은 자신감을 바탕으로 좀 더 향상된 문제해결력을 지닐 수 있도록 하였습니다.

금메달 따기
다소 발전적인 문제로 구성되어, 도전의식을 지니고 문제를 해결해 보도록 하였습니다.

Contents
차례

야호!!
금메달.

1 합과 차를 이용하여 해결하기 ······················· 4

2 거꾸로 생각하여 해결하기 ······················· 10

3 한쪽을 지워서 해결하기 ······················· 16

4 바둑돌 늘어놓기 유형 해결하기 ······················· 22

5 나무심기 유형 해결하기 ······················· 28

6 규칙적으로 반복되는 유형 해결하기 ······················· 34

7 평균에 관한 문제 해결하기 ······················· 40

8 차가 일정한 점을 이용하여 해결하기 ··············· 46

9 합이 일정한 점을 이용하여 해결하기 ··············· 52

10 차량의 통과에 관한 문제 해결하기 ··············· 58

재밌는
문장제
문제풀이

수학 문장제
6 학년

11 남고 모자람의 관계를 이용하여 해결하기 ······· 64

12 부분을 알고 전체의 양 구하기 ················· 70

13 전체를 한쪽으로 가정하여 해결하기 ············ 76

14 전체의 차를 개별의 차로 나누어 해결하기 ····· 82

15 단위량의 모임을 이용하여 해결하기 ············ 88

16 어떤 수량을 주어진 비율로 분배하기 ·········· 94

17 중복과 관련된 문제 해결하기 ················· 100

18 전체 일의 양을 1로 가정하여 해결하기 ········ 106

🐟 총괄 평가 1회 ······························ 112

🐟 총괄 평가 2회 ······························ 117

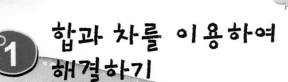

150cm 길이의 철사를 모두 사용하여 가로 한 변의 길이가 세로 한 변의 길이보다 15cm 더 긴 직사각형 모양을 만들었습니다. 이 직사각형 모양의 넓이는 몇 cm²인지 구하시오.

✏️ 직사각형 모양의 가로 한 변과 세로 한 변의 길이의 합은 150÷2=75(cm)이고, 길이의 차는 15cm이므로 가로 한 변과 세로 한 변의 길이를 각각 선분으로 나타내어 보면,

> 꼼꼼 돋다리
>
> 만들어진 직사각형의 가로 한 변의 길이와 세로 한 변의 길이의 합은 150÷2=75(cm) 입니다.

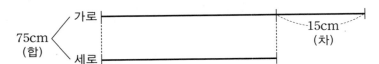

가로 한 변의 길이는 (75+15)÷2=45(cm), 세로 한 변의 길이는 75-45=30(cm)입니다. 따라서, 직사각형 모양의 넓이는 45×30=1350(cm²)입니다.

Check Point
두 수의 합과 차가 주어졌을 때,
(큰 수)=(합+차)÷2, (작은 수)=(합-차)÷2

확인
문제

연필 3다스를 형과 동생이 나누어 가지려고 합니다. 형이 동생보다 2자루 더 가지려면, 형과 동생은 각각 몇 자루씩을 가져야 하는지 구하시오.

1 형과 동생이 가지려는 연필의 수를 각각 선분으로 나타내어 보려고 합니다. □ 안에 알맞은 수를 써 넣으시오.

> 연필 1다스는 12자루예요.

2 형은 몇 자루의 연필을 가져야 하는지 구하시오.

(   )

3 동생은 몇 자루의 연필을 가져야 하는지 구하시오.

(   )

1 한별이네 학교의 6학년 학생은 164명입니다. 남학생이 여학생보다 6명 더 많다면, 한별이네 학교의 6학년 남학생은 몇 명인지 구하시오.

합이 164이고, 차가 6인 두 수를 구합니다.

답 _____

2 효근이가 가방을 들고 몸무게를 쟀더니 45kg이었습니다. 가방의 무게가 효근이 몸무게보다 40kg 더 가볍다면, 효근이의 몸무게는 몇 kg인지 구하시오.

답 _____

3 누나와 동생의 키의 합은 2m 90cm입니다. 누나가 동생보다 10cm 더 크다면, 동생의 키는 몇 cm인지 구하시오.

풀이▶

2m 90cm는 290cm입니다.

답 _____

4 포도 주스가 든 병의 무게는 2kg입니다. 포도 주스만의 무게가 빈 병의 무게보다 400g 더 무겁다면, 포도 주스만의 무게는 몇 g인지 구하시오.

(포도 주스가 든 병의 무게)
=(포도 주스만의 무게)
 +(빈 병의 무게)

풀이 ▶

답 _____

5 규형이와 가영이의 몸무게의 평균은 36kg입니다. 규형이가 가영이보다 2kg 더 무겁다면, 가영이의 몸무게는 몇 kg인지 구하시오.

두 사람의 몸무게의 평균이 36kg일 때, 두 몸무게의 합은?
➡ (36×2)kg

풀이 ▶

답 _____

6 두 수의 평균이 1800이고, 큰 수와 작은 수의 차는 400입니다. 큰 수와 작은 수는 각각 얼마인지 구하시오.

두 수의 평균이 1800일 때, 두 수의 합은?
➡ 1800×2

풀이 ▶

답 _____

1 두 수의 평균이 2.5이고, 두 수의 차는 2입니다. 두 수의 곱은 얼마인지 구하시오.

평균을 이용하여 두 수의 합을 먼저 구합니다.

풀이▶

답 _____

2 무게가 같은 구슬 50개가 들어 있는 주머니 1개의 무게는 1kg입니다. 구슬 50개의 무게는 빈 주머니 1개의 무게보다 500g 더 무겁습니다. 구슬 1개의 무게는 몇 g인지 구하시오.

구슬 50개의 무게를 먼저 구해 봅니다.

풀이▶

답 _____

3 무게가 같은 빵이 40개씩 들어 있는 상자 2개의 무게는 18kg입니다. 빵 40개의 무게는 빈 상자 1개의 무게보다 7kg 더 무겁습니다. 빵 1개의 무게는 몇 g인지 구하시오.

빵 40개가 들어 있는 상자 1개의 무게는 (18÷2)kg입니다.

풀이▶

답 _____

(두 수의 합)-(두 수의 차)
=460

4 두 수의 합은 500이고, 두 수의 합에서 두 수의 차를 빼면 460입니다. 큰 수와 작은 수는 각각 얼마인지 구하시오.

답 _____

(돈의 합)-(돈의 차)
=10000

5 석기와 한초가 가지고 있는 돈의 합은 13000원이고, 두 사람이 가지고 있는 돈의 합에서 두 사람이 가지고 있는 돈의 차를 빼면 10000원입니다. 한초가 가지고 있는 돈이 석기보다 더 많다면, 한초가 가지고 있는 돈은 얼마인지 구하시오.

답 _____

1시간당 두 사람의 빠르기의 합은 (25÷5)km입니다.

6 한별이와 가영이는 25km 떨어져 있습니다. 한별이와 가영이가 마주 향해 동시에 출발하면, 두 사람이 출발한지 5시간 만에 만납니다. 가영이의 빠르기가 한별이의 빠르기보다 1시간에 0.2km 더 빠르다면, 한별이는 1시간에 몇 km를 가는지 구하시오.

답 _____

1 A, B, C 3개의 수가 있습니다. A와 B의 합은 25, B와 C의 합은 35이고, B는 C보다 5 작습니다. A, B, C는 각각 얼마인지 구하시오.

풀이▶

B를 먼저 구해 봅니다.

답 _____

2 오른쪽 그림과 같은 삼각형이 있습니다. 각 가와 각 나의 크기는 같고, 각 가와 각 나의 크기의 합은 각 다의 크기보다 60° 작습니다. 각 가의 크기를 구하시오.

풀이▶

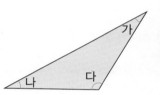

삼각형의 세 각의 합은 180°입니다.

답 _____

3 아버지, 어머니, 딸의 나이의 합은 90살이고, 아버지와 어머니의 연세의 합과 딸의 나이의 차는 60살입니다. 아버지의 연세가 어머니의 연세보다 3살이 더 많을 때, 아버지의 연세는 몇 세인지 구하시오.

풀이▶

먼저 아버지와 어머니의 연세의 합을 구합니다.

답 _____

② 거꾸로 생각하여 해결하기

탐구문제

가영이는 가지고 있던 돈의 $\frac{1}{2}$을 저금하고, 남은 돈의 $\frac{1}{3}$로 공책을 샀더니 1000원이 남았습니다. 가영이가 처음에 가지고 있던 돈은 얼마인지 구하시오.

풀이

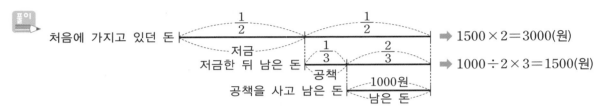

처음에 가지고 있던 돈 ├─── $\frac{1}{2}$ ───┤─── $\frac{1}{2}$ ───┤ ➡ 1500×2=3000(원)
저금 저금한 뒤 남은 돈 ├─ $\frac{1}{3}$ ─┤── $\frac{2}{3}$ ──┤ ➡ 1000÷2×3=1500(원)
공책 공책을 사고 남은 돈 ├── 1000원 ──┤ 남은 돈

따라서, 가영이가 처음에 가지고 있던 돈은 (1000÷2×3)×2=3000(원)입니다.

Check Point

주어진 결과로부터 거꾸로 계산하여 해결합니다.

확인문제

한별이는 가지고 있던 돈의 $\frac{1}{5}$을 동생에게 주고, 남은 돈의 $\frac{1}{5}$을 저금했더니 3200원이 남았습니다. 한별이가 처음에 가지고 있던 돈은 얼마인지 구하시오.

1 선분을 이용하여 문제를 해결하려고 합니다. □ 안에 알맞은 수를 써 넣으시오.

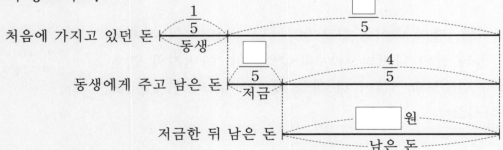

처음에 가지고 있던 돈 ├─ $\frac{1}{5}$ ─┤────── $\frac{□}{5}$ ──────┤
동생 동생에게 주고 남은 돈 ├ $\frac{□}{5}$ ┤──── $\frac{4}{5}$ ────┤
저금 저금한 뒤 남은 돈 ├──── □ 원 ────┤ 남은 돈

2 한별이가 동생에게 주고 남은 돈은 얼마인지 구하시오.

( )

3 한별이가 처음에 가지고 있던 돈은 얼마인지 구하시오.

( )

3200원은 동생에게 주고 남은 돈의 $\frac{4}{5}$입니다.

1 한초는 딱지를 몇 장 가지고 있었습니다. 딱지치기를 하여 15장을 잃고, 친구 4명에게 각각 딱지 5장씩을 얻어 45장이 되었다면, 한초가 처음에 가지고 있던 딱지는 몇 장인지 구하시오.

친구 4명에게 (5×4)장을 얻었습니다.

답_____

2 석기는 얼마의 돈이 들어 있는 저금통에 어머니가 주신 용돈 4500원을 저금하고, 이모가 주신 용돈 5000원도 저금하였습니다. 석기가 저금통에 있는 돈으로 500원짜리 공책 6권을 샀더니 남은 돈이 7700원이었습니다. 처음 저금통에 들어 있던 돈은 얼마인지 구하시오.

답_____

3 어떤 수에 14를 곱한 뒤, 27을 빼고 3으로 나누어 4를 더한 수가 65입니다. 어떤 수를 구하시오.

+를 거꾸로 하면 −
−를 거꾸로 하면 +
×를 거꾸로 하면 ÷
÷를 거꾸로 하면 ×

답_____

4 가방 1개를 만드는 데 장식용 구슬 15개가 필요하고, 머리핀 1개를 만드는 데 장식용 구슬 4개가 필요합니다. 처음에 있던 장식용 구슬로 가방을 25개, 머리핀을 40개 만든 뒤, 장식용 구슬을 90개 더 사왔더니 135개가 되었습니다. 처음에 있던 장식용 구슬은 몇 개인지 구하시오.

> 가방 25개와 머리핀 40개를 만드는 데 사용된 장식용 구슬의 개수를 각각 알아봅니다.

답 _____

5 규형이는 몇 개의 구슬을 가지고 있었습니다. 동생에게 4개를 주고, 형에게 10개를 얻은 뒤, 남은 구슬을 동민이와 똑같이 나누어 가졌더니 18개를 갖게 되었습니다. 규형이가 처음에 가지고 있던 구슬은 몇 개인지 구하시오.

> 주어진 결과로부터 거꾸로 해결하세요!

답 _____

6 웅이는 몇 개의 사탕을 가지고 있었습니다. 친구 3명에게 사탕 4개씩을 주고, 동생에게 10개를 준 뒤 남은 사탕을 한별, 지혜와 똑같이 나누어 가졌더니 11개를 갖게 되었습니다. 웅이가 처음에 가지고 있던 사탕은 몇 개인지 구하시오.

> 웅이, 한별, 지혜가 똑같이 나누어 가졌으므로 3으로 나눈 값은 11입니다.

답 _____

1 가영이는 첫째 번 가게에서 가지고 있던 돈의 $\frac{1}{2}$을 쓰고, 둘째 번 가게에서 남은 돈의 $\frac{3}{4}$을 썼더니 200원이 남았습니다. 가영이가 처음에 가지고 있던 돈은 얼마인지 구하시오.

선분을 이용하여 문제를 거꾸로 해결해 봅니다.

풀이 ▶

답 _____

2 한초는 가지고 있던 끈의 $\frac{2}{5}$를 사용하고, 그 나머지의 $\frac{2}{3}$를 사용하였더니 100m가 남았습니다. 한초가 처음에 가지고 있던 끈의 길이는 몇 m였는지 구하시오.

나머지의 $\frac{2}{3}$를 사용하면?
➡ 나머지의 $\frac{1}{3}$이 남음

풀이 ▶

답 _____

3 영수는 저금통에 모은 돈으로 6000원짜리 책 1권을 사고, 남은 돈의 $\frac{3}{4}$을 은행에 저축하였습니다. 그리고 2500원짜리 필통을 1개 샀더니 남은 돈이 3500원이었습니다. 영수가 처음에 저금통에 모은 돈은 얼마인지 구하시오.

필통을 사기 전에 남은 돈은 (3500+2500)원입니다.

풀이 ▶

답 _____

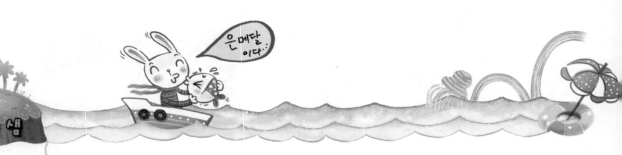

4 담장 전체를 페인트로 칠하는 데 첫째 날은 담장 전체의 $\frac{1}{2}$을, 둘째 날은 남은 담장의 $\frac{1}{5}$을 칠했습니다. 셋째 날에 8m²를 칠했더니 담장 전체를 다 칠하게 되었습니다. 담장 전체의 넓이는 몇 m²인지 구하시오.

선분을 이용하여 거꾸로 해결합니다.

답 _____

5 영수는 학용품을 사는 데 가지고 있던 용돈의 $\frac{1}{10}$을 사용하고, 책을 사는 데 남은 용돈의 $\frac{2}{5}$를 사용하였더니 13500원이 남았습니다. 영수가 처음에 가지고 있던 용돈은 얼마인지 구하시오.

책을 사기 전에 남은 돈은 (13500÷3×5)원입니다.

답 _____

6 율기는 가지고 있던 돈의 절반보다 200원 더 많이 쓰고, 또 남은 돈의 절반보다 500원 더 많이 썼더니 900원이 남았습니다. 율기가 처음에 가지고 있던 돈은 얼마인지 구하시오.

답 _____

1 어느 농가에서 감자를 생산하였습니다. 어제는 생산한 감자의 $\frac{2}{3}$보다 10kg 적게 팔고, 오늘은 나머지의 $\frac{1}{2}$을 팔았더니 감자가 55kg 남았습니다. 농가에서 생산한 감자는 몇 kg인지 구하시오.

풀이▶

나머지의 $\frac{1}{2}$을 팔기 전에 남은 감자는 (55×2)kg 입니다.

답 _____

2 감나무에서 감을 따는 데 규형이는 감 전체의 $\frac{1}{4}$보다 50개 더 땄고, 예슬이는 나머지의 $\frac{1}{2}$보다 50개 더 적게 땄더니 감나무에 감이 250개 남았습니다. 처음에 감나무에 달려 있던 감은 몇 개인지 구하시오.

풀이▶

예슬이가 따기 전에 남은 감은 {(250-50)×2}개 입니다.

답 _____

3 석기는 가지고 있던 색종이 수의 $\frac{1}{5}$보다 6장 많게 신영이에게 주고, 나머지 색종이의 $\frac{3}{5}$보다 7장 적게 동민이에게 주었습니다. 그리고 그 나머지 색종이에서 9장을 미술 작품을 만드는 데 사용하고 나니 18장이 남았습니다. 석기가 처음에 가지고 있던 색종이는 몇 장인지 구하시오.

풀이▶

답 _____

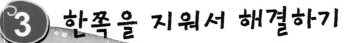
③ 한쪽을 지워서 해결하기

탐구문제

한별이네 가게에서는 종류가 같은 상자에 과자를 넣어 팔고 있습니다. 가격이 같은 과자 5개를 넣은 상자는 2400원이고, 같은 과자 3개를 넣은 상자는 1500원입니다. 빈 상자의 가격은 얼마인지 구하시오.

풀이 과자 5개를 넣은 상자는 과자 3개를 넣은 상자와의 관계에서 과자 2개만큼의 차이가 납니다. 이 때문에 총 가격의 차이는 2400-1500=900(원)이 되었습니다.
따라서, 과자 1개의 가격은 900÷2=450(원)이고, 과자 5개의 가격은 450×5=2250(원)이므로 빈 상자의 가격은 2400-2250=150(원)입니다.

꼼꼼 돋다리
상자의 개수는 각각 1개로 서로 같으므로, 과자 5-3=2(개)의 차이 때문에 2400-1500=900(원)의 차이를 가져옵니다.

Check Point
같은 부분끼리 서로 없앤 뒤, 나머지끼리의 차를 이용하여 해결합니다.

확인문제

물이 가득 들어 있는 물통의 무게를 재어 보니 32.7kg이었습니다. 그런데 들어 있던 물의 $\frac{1}{3}$만큼을 쏟아내고 무게를 재어 보니 22.2kg이었습니다. 빈 물통만의 무게는 몇 kg인지 구하시오.

1 물이 가득 들어 있는 물통은 물의 $\frac{1}{3}$만큼을 쏟아낸 물통과의 관계에서 어떤 차이가 있습니까?

(   )

2 처음 물통에 가득 들어 있던 물만의 무게는 몇 kg인지 구하시오.

(   )

(물 전체의 무게)
=(물 $\frac{1}{3}$의 무게)×3

3 빈 물통만의 무게는 몇 kg인지 구하시오.

(   )

1 우유가 가득 든 병의 무게가 2300g입니다. 우유의 반을 마시고 무게를 재어 보니 1550g이었습니다. 처음에 들어 있던 우유만의 무게는 몇 g인지 구하시오.

풀이

(우유 반만큼의 무게)
=(2300-1550)g

답_____

2 과일이 들어 있는 상자의 무게를 재어 보니 4kg이었습니다. 과일 무게의 $\frac{1}{3}$만큼을 덜어 내고 무게를 재어 보니 2kg 950g이었습니다. 처음에 들어 있던 과일만의 무게는 몇 kg 몇 g인지 구하시오.

풀이

(과일 수의 $\frac{1}{3}$만큼의 무게)
=4kg-2kg 950g

답_____

3 무게가 같은 구슬 50개가 들어 있는 통의 무게를 재어 보니 1kg이었고, 통에서 구슬을 10개 꺼낸 뒤 무게를 재어 보니 850g이었습니다. 빈 통의 무게는 몇 g인지 구하시오.

풀이

(구슬 10개의 무게)
=1kg-850g

답_____

4 연필 3자루와 지우개 5개의 값은 1350원이고, 같은 연필 3자루와 지우개 2개의 값은 900원입니다. 연필 1자루의 값을 구하시오.

답 _____

5 종류가 같은 상자 안에 사탕을 넣어 팔고 있습니다. 사탕을 30개 넣어 팔면 3550원을 받고, 같은 사탕을 50개 넣어 팔면 5550원을 받습니다. 사탕 10개를 넣은 상자의 가격은 얼마인지 구하시오.

답 _____

6 장미 15송이를 바구니에 담아 파는 가격은 13500원이고, 같은 장미 10송이를 바구니에 담아 파는 가격은 9500원입니다. 장미 20송이를 바구니에 담아 파는 가격은 얼마인지 구하시오.

답 _____

1 주스가 가득 들어 있는 병의 무게를 재어 보니 950g이었습니다. 이 병의 주스를 $\frac{2}{9}$만큼 마시고 무게를 재어 보니 850g이었습니다. 처음에 가득 들어 있던 주스의 무게와 빈 병의 무게는 각각 몇 g인지 구하시오.

풀이▶

주스의 $\frac{2}{9}$만큼의 무게는 (950-850)g입니다.

답

2 통조림이 들어 있는 상자의 무게를 재어 보니 45.6kg이었습니다. 통조림 수의 $\frac{2}{3}$만큼을 덜어 내고 무게를 재어 보니 15.6kg이었습니다. 빈 상자의 무게는 몇 kg인지 구하시오.

풀이▶

통조림 수의 $\frac{2}{3}$만큼의 무게는 (45.6-15.6)kg입니다.

답

3 사과 1개와 배 2개의 값은 3300원이고, 같은 사과 2개와 배 3개의 값은 5400원입니다. 배 1개의 값은 얼마인지 구하시오.

풀이▶

(사과 1개와 배 1개의 값) =(5400-3300)원

답

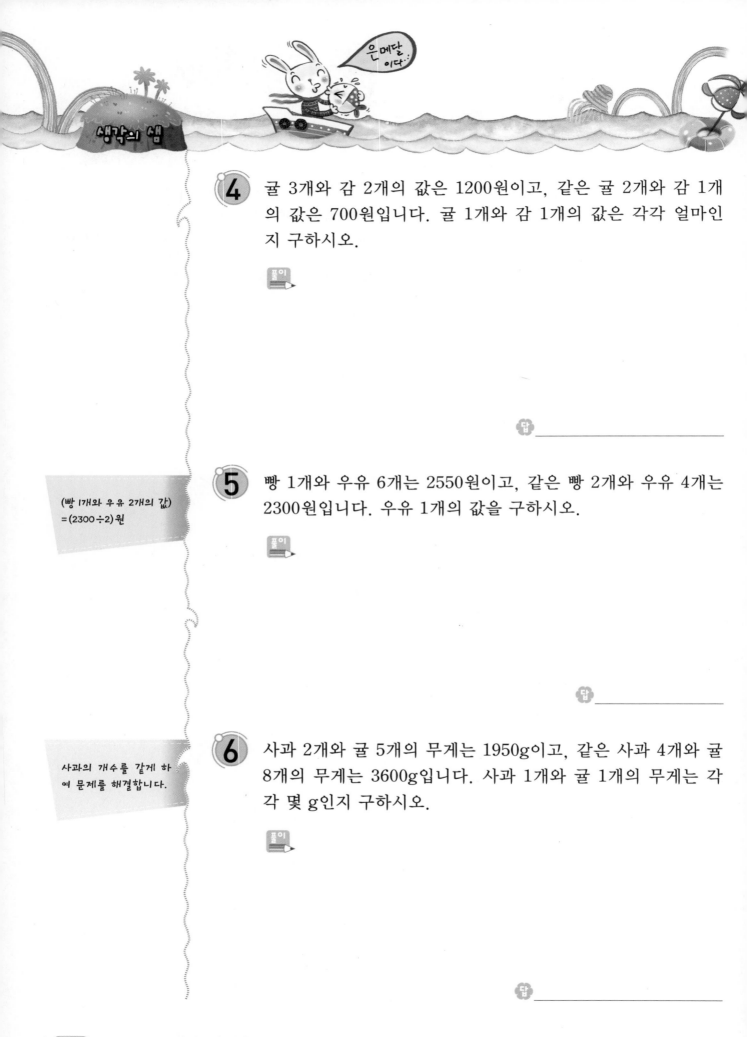

4 귤 3개와 감 2개의 값은 1200원이고, 같은 귤 2개와 감 1개의 값은 700원입니다. 귤 1개와 감 1개의 값은 각각 얼마인지 구하시오.

풀이 ▶

답 _____

5 빵 1개와 우유 6개는 2550원이고, 같은 빵 2개와 우유 4개는 2300원입니다. 우유 1개의 값을 구하시오.

(빵 1개와 우유 2개의 값)
=(2300÷2)원

풀이 ▶

답 _____

6 사과 2개와 귤 5개의 무게는 1950g이고, 같은 사과 4개와 귤 8개의 무게는 3600g입니다. 사과 1개와 귤 1개의 무게는 각각 몇 g인지 구하시오.

사과의 개수를 같게 하여 문제를 해결합니다.

풀이 ▶

답 _____

1 간장이 가득 들어 있는 통의 무게를 재어 보니 3.5kg이었습니다. 이 통의 간장을 $\frac{2}{5}$만큼 사용하고 무게를 재어 보니 2.3kg이었습니다. 처음 이 통에 들어 있던 간장의 $\frac{1}{2}$을 사용하고 무게를 재어 보면 몇 kg인지 구하시오.

> 간장의 무게, 통만의 무게를 먼저 구해 봅니다.

풀이 ▶

답 _____

2 샤프 1개의 값은 샤프심 1통의 값보다 300원 더 비싸고, 같은 샤프 3개와 샤프심 5통의 값은 2500원입니다. 샤프 1개와 샤프심 1통의 값을 각각 구하시오.

> 샤프 3개의 값은 샤프심 3통의 값보다 300×3=900(원) 더 비쌉니다.

풀이 ▶

답 _____

3 공책 6권과 연필 10자루의 값은 3900원이고, 같은 공책 2권의 값은 연필 5자루의 값보다 50원 더 비쌉니다. 공책 1권의 값을 구하시오.

풀이 ▶

답 _____

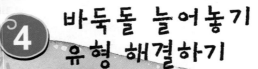

4 바둑돌 늘어놓기
유형 해결하기

탐구문제

바둑돌을 가로와 세로에 8개씩 빈틈없이 늘어놓아 정사각형을 만들었습니다. 둘레에 놓인 바둑돌의 개수는 몇 개인지 구하시오.

✏️ **풀이** 오른쪽 그림과 같이 둘레에 놓인 바둑돌을 4등분 하여 생각합니다.
따라서, 둘레에 놓인 바둑돌의 개수는
$(8-1) \times 4 = 28$(개)입니다.

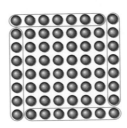

꼼꼼 돌다리

한 묶음 안에 들어 있는 바둑돌의 개수는 한 변에 놓인 바둑돌의 개수보다 1개 적어요.
➡️ $8 - 1 = 7$(개)

Check Point

● 정사각형으로 늘어놓을 때
(둘레의 개수)={(한 변의 개수)-1}×4
(한 변의 개수)={(둘레의 개수)÷4}+1

● 직사각형으로 늘어놓을 때
(둘레의 개수)
={(가로의 개수)+(세로의 개수)-2}×2

확인문제 크기가 같은 사탕을 가로와 세로에 각각 11개씩 빈틈없이 늘어놓아 정사각형을 만들었습니다. 둘레에 놓인 사탕의 개수를 구하시오.

1 한 변에 놓인 사탕은 몇 개입니까?

( )

2 둘레에 놓인 사탕을 똑같이 4등분 하여 생각할 때, 한 묶음에는 몇 개의 사탕이 있는지 구하시오.

( )

한 묶음에 똑같은 개수의 사탕이 들어 있도록 묶어 보세요.

3 둘레에 놓인 사탕의 개수를 구하시오.

( )

1 바둑돌을 가로와 세로에 19개씩 빈틈없이 늘어놓아 정사각형을 만들었습니다. 둘레에 놓인 바둑돌의 개수를 구하시오.

풀이▸

(정사각형의 둘레에 놓인 바둑돌의 개수)
={(한 변에 놓인 바둑돌의 개수)-1}×4

답 _____

2 오른쪽 그림은 쌓기나무를 가로와 세로에 5개씩 빈틈없이 놓아 정사각형 모양을 만든 것입니다. 같은 방법으로 가로와 세로에 쌓기나무를 25개씩 빈틈없이 늘어놓아 정사각형 모양을 만들면, 둘레에 놓인 쌓기나무는 몇 개인지 구하시오.

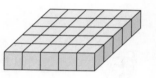

풀이▸

답 _____

3 500원짜리 동전을 가로로 22개, 세로로 17개씩 빈틈없이 늘어놓아 직사각형을 만들었습니다. 둘레에 놓인 500원짜리 동전은 몇 개인지 구하시오.

풀이▸

직사각형으로 늘어놓을 때
(둘레의 개수)
={(가로의 개수)+(세로의 개수)-2}×2

답 _____

4 정사각형 모양의 색종이를 가로와 세로에 32장씩 빈틈없이 늘어놓아 큰 정사각형을 만들었습니다. 둘레에 놓인 색종이는 노란색이고, 안쪽에 놓인 색종이는 분홍색일 때, 노란색 색종이는 몇 장인지 구하시오.

답 _____

(한 변에 놓인 구슬의 개수)=(둘레에 놓인 구슬의 개수)÷4+1

5 구슬을 빈틈없이 늘어놓아 정사각형을 만들었습니다. 둘레에 놓인 구슬의 개수가 196개라면, 가장 바깥쪽의 한 변에 놓인 구슬의 개수는 몇 개인지 구하시오.

답 _____

동전 전체의 개수를 알면 한 변에 놓인 동전의 개수를 구할 수 있습니다.

6 100원짜리 동전을 빈틈없이 늘어놓아 정사각형을 만들었습니다. 동전 전체의 금액의 합이 40000원일 때, 정사각형의 둘레에 놓인 동전은 몇 개인지 구하시오.

답 _____

1 바둑돌을 빈틈없이 늘어놓아 만든 정사각형의 둘레에 놓인 바둑돌의 개수가 176개입니다. 이 정사각형의 둘레를 바둑돌로 한 번 더 에워싸려면, 바둑돌은 몇 개가 더 필요한지 구하시오.

풀이

처음 정사각형의 한 변에 놓인 바둑돌의 개수를 먼저 구해 봅니다.

답 _____

2 500원짜리 동전 196개를 빈틈없이 늘어놓아 정사각형을 만들었습니다. 이 정사각형의 둘레를 500원짜리 동전으로 한 번 더 에워쌀 때, 돈은 얼마가 더 필요한지 구하시오.

풀이

같은 수끼리 곱하여 196이 되는 수를 찾아 봅니다.

답 _____

3 영수가 가지고 있는 바둑돌을 모두 사용하여 빈틈없이 늘어놓아 정사각형을 만들면 둘레에 놓이는 바둑돌이 80개라고 합니다. 만일 영수가 가지고 있는 바둑돌을 가로와 세로에 각각 20개씩 빈틈없이 늘어놓아 정사각형을 만든다면 몇 개가 남는지 구하시오.

풀이

답 _____

4 바둑돌을 가로와 세로에 같은 개수로 빈틈없이 늘어놓아 정사각형을 만들었습니다. 둘레에 놓인 바둑돌은 검은색이고, 안쪽에 놓인 바둑돌은 흰색입니다. 검은색 바둑돌이 112개일 때, 흰색 바둑돌은 몇 개인지 구하시오.

가장 바깥쪽의 한 변에 놓인 바둑돌은 {(둘레의 개수)÷4+1}개입니다.

답 _____

5 오른쪽 그림과 같이 구슬을 가로와 세로로 각각 4열씩 늘어놓아 속이 빈 정사각형 모양을 만들었습니다. 가장 바깥쪽의 둘레에 놓인 구슬이 76개라면, 구슬은 모두 몇 개인지 구하시오.

답 _____

6 정사각형 모양의 우표를 빈틈없이 늘어놓아 큰 정사각형을 만들고 나니 50장이 남아서 가로 한 변과 세로 한 변을 1열씩 늘렸더니 5장이 남았습니다. 우표는 모두 몇 장인지 구하시오.

가로와 세로를 각각 1열씩 늘리는 데 우표가 (50-5)장 사용되었습니다.

답 _____

1 바둑돌을 빈틈없이 늘어놓아 정사각형을 만들고 나니 27개가 남아서 가로와 세로를 1열씩 늘리려고 하였더니 14개의 바둑돌이 부족하였습니다. 바둑돌은 모두 몇 개인지 구하시오.

가로와 세로를 각각 1열씩 늘리는 데 바둑돌이 (27+14)개 필요합니다.

답 _____

2 몇 개의 구슬을 가지고 직사각형 모양으로 빈틈없이 늘어놓았습니다. 이 직사각형의 가로에 놓인 구슬의 개수가 세로보다 9개 많고, 둘레에 놓인 구슬의 개수가 74개라면, 구슬은 모두 몇 개인지 구하시오.

답 _____

3 한 변이 10cm인 정사각형 모양의 타일을 정사각형 모양의 판자 둘레에 5열로 놓는 데 440장이 필요합니다. 판자의 한 변의 길이는 몇 cm인지 구하시오.

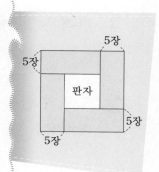

답 _____

⑤ 나무심기 유형 해결하기

1350m 길이의 도로에 45m 간격으로 나무를 심으려고 합니다. 도로의 처음과 끝에도 반드시 나무를 심으려고 할 때, 물음에 답하시오.
(1) 도로의 한쪽에만 나무를 심는다면 몇 그루가 필요한지 구하시오.
(2) 도로의 양쪽에 나무를 심는다면 몇 그루가 필요한지 구하시오.

 (1) 간격의 수는 $1350 \div 45 = 30$(개)이므로 도로의 한쪽에
　필요한 나무의 수는 $30 + 1 = 31$(그루)입니다.

꼼꼼 돌다리

$$1350 \div 45 = 30$$
간격　간격의 수

(2) 도로의 양쪽에 필요한 나무의 수는 $31 \times 2 = 62$(그루)입니다.

Check Point
● 처음과 끝에 나무를 심을 때 : (나무의 수)=(간격의 수)+1
● 처음과 끝에 나무를 심지 않을 때 : (나무의 수)=(간격의 수)-1
● 둥근 연못 등에 나무를 심을 때 : (나무의 수)=(간격의 수)

길이가 2.4km인 도로의 양쪽에 50m 간격으로 가로수를 심으려고 합니다. 도로의 처음과 끝에도 가로수를 심을 때, 가로수는 모두 몇 그루를 심어야 하는지 구하시오.

1 간격은 몇 개인지 구하시오.

(　　　　　　)

2 도로의 한쪽에 가로수를 심을 때, 가로수는 몇 그루가 필요한지 구하시오.

(　　　　　　)

양쪽에 필요한 가로수는 한쪽에 필요한 가로수의 2배지요!

3 가로수는 모두 몇 그루가 필요한지 구하시오.

(　　　　　　)

① 길이가 1482m인 도로의 한쪽에 39m 간격으로 단풍나무를 심으려고 합니다. 단풍나무는 몇 그루가 필요한지 구하시오. (단, 도로의 처음과 끝에도 단풍나무를 심습니다.)

풀이▶

> 처음과 끝에도 단풍나무를 심을 때 (단풍나무의 수)=(간격의 수)+1 입니다.

답 _____

② 둘레의 길이가 1km 104m인 목장의 둘레에 울타리를 치기 위해 6m 간격으로 말뚝을 박았습니다. 사용된 말뚝은 몇 개인지 구하시오.

풀이▶

> 사용된 말뚝의 수와 간격의 수는 같습니다.

답 _____

③ 길이가 3.6km인 다리의 양쪽에 50m 간격으로 가로등을 세우려고 합니다. 가로등은 모두 몇 개가 필요한지 구하시오. (단, 다리의 처음과 끝에도 가로등을 세웁니다.)

풀이▶

> (다리의 양쪽에 필요한 가로등 수)
> =(다리의 한쪽에 필요한 가로등 수)×2

답 _____

4 길이가 1760m인 터널의 양쪽에 처음부터 11m 간격으로 조명을 설치하려고 합니다. 터널의 처음과 끝에는 조명을 설치하지 않는다면, 조명은 모두 몇 개가 필요한지 구하시오.

풀이

답 _____

5 저수지의 둘레를 따라 27m 간격으로 소나무를 심었습니다. 심은 소나무의 수가 52그루일 때, 저수지의 둘레는 몇 km 몇 m인지 구하시오.

풀이

답 _____

6 길이가 10m인 철사가 2개 있습니다. 이 철사를 40cm 길이로 자른다면, 모두 몇 번 잘라야 하는지 구하시오.

풀이

답 _____

1 길이가 1248m인 자전거 도로의 양쪽에 기둥을 32m 간격으로 세우려고 합니다. 자전거 도로의 처음과 끝에도 기둥을 세우고, 준비한 기둥이 90개라면 기둥은 몇 개가 남는지 구하시오.

> 자전거 도로의 양쪽에 세워야 할 기둥은 모두 몇 개인지 구해 봅니다.

풀이▶

답 _____

2 다음 그림과 같은 삼각형 모양의 땅의 둘레를 따라 같은 간격으로 은행나무를 심으려고 합니다. 세 꼭지점에는 반드시 은행나무를 심기로 하고, 가능한 간격을 크게 하여 심는다면 은행나무는 모두 몇 그루가 필요한지 구하시오.

> 120, 168, 216의 최대공약수를 알아봅니다.

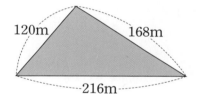

120m 168m 216m

풀이▶

답 _____

3 길이가 1km 800m인 도로의 양쪽에 소나무를 45m 간격으로 심으려고 합니다. 소나무 한 그루의 값이 9000원일 때, 필요한 소나무를 사는 데 드는 비용은 얼마인지 구하시오.(단, 도로의 처음과 끝에도 소나무를 심습니다.)

> (소나무를 사는 데 드는 비용)
> =9000×(양쪽에 심어야 할 소나무의 수)

풀이▶

답 _____

4 지혜네 집과 가영이네 집 사이에는 33m 간격으로 전봇대가 25개 세워져 있습니다. 지혜네 집에서 첫 번째 전봇대 사이, 마지막 전봇대에서 가영이네 집 사이의 거리가 각각 4m씩일 때, 지혜네 집에서 가영이네 집 사이의 거리는 몇 m인지 구하시오.

첫 번째 전봇대와 마지막 전봇대 사이의 거리를 구해 봅니다.

답 _____

5 길이가 47cm인 색 테이프 22장을 5.3cm씩 겹쳐 길게 이어 붙였습니다. 이어 붙인 색 테이프의 전체 길이는 몇 m인지 소수로 구하시오.

★장을 이어 붙이면 겹쳐진 부분은 (★-1)군데입니다.

답 _____

6 둘레의 길이가 2048m인 땅의 둘레에 64m 간격으로 밤나무를 심고, 밤나무와 밤나무 사이에 도토리나무를 3그루씩 심으려고 합니다. 나무는 모두 몇 그루가 필요한지 구하시오.

(도토리나무의 수)
=3×(밤나무를 심은 간격의 수)

답 _____

1 운동장의 직선 주로에 깃발이 4m 간격으로 꽂혀 있고, 처음 깃발에서 마지막 깃발까지의 거리는 200m입니다. 깃발을 5m 간격으로 다시 꽂으려고 할 때, 뽑지 않고 그냥 두어도 되는 깃발은 몇 개인지 구하시오. (단, 처음 깃발에서 마지막 깃발까지의 거리는 같습니다.)

풀이▷

처음 깃발은 뽑지 않고 그냥 두어야 하겠지요!

답 _____

2 길이가 15m인 굵은 통나무를 3m씩 자르려고 합니다. 한 번 자르는 데 4분 45초가 걸리고, 자를 때마다 1분 15초씩 쉬기로 한다면, 다 자르는 데 몇 분 몇 초가 걸리는지 구하시오.

풀이▷

(도막의 수)
=(자르는 횟수)+1
(쉬는 횟수)
=(자르는 횟수)-1

답 _____

3 길이가 23.5cm인 종이 테이프 35장을 겹치는 부분의 길이가 같도록 풀로 붙여서 원 모양을 만들었습니다. 이 원 모양의 둘레의 길이가 665cm라면, 겹치는 부분 하나의 길이는 몇 cm인지 구하시오.

풀이▷

종이 테이프의 장수와 겹치는 부분의 개수는 같습니다.

답 _____

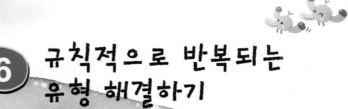

6 규칙적으로 반복되는 유형 해결하기

탐구 문제

바둑돌 520개를 규칙적으로 늘어놓았습니다. 이 중 검은색 바둑돌은 몇 개인지 구하시오.

풀이 반복되는 부분은 ○●○○●●으로 반복되는 부분 안에 검은색 바둑돌이 3개 들어 있습니다. $520 \div 6 = 86 \cdots 4$에서 반복되는 부분은 86묶음이 되고, 바둑돌 4개가 남으며, 이 중 1개가 검은색 바둑돌입니다.

따라서, 검은색 바둑돌은 모두 $3 \times 86 + 1 = 259$(개)입니다.

꼼꼼 돌다리

한 묶음 안에 검은색 바둑돌이 3개 들어 있으므로 3×(묶음의 수)+(남은 검은색 바둑돌 수)로 구합니다.

Check Point

전체를 반복되는 부분의 개수로 나누어 몫과 나머지를 구하여 해결합니다.

확인 문제

5÷7을 소수로 나타낼 때, 소수점 아래 133째 자리의 숫자는 무엇인지 구하시오.

1 5÷7을 소수로 나타낼 때, 반복되는 부분의 숫자를 차례로 쓰시오.

(   )

규칙적으로 반복되는 부분이 나올 때까지 나누어 갑니다.

2 반복되는 부분은 몇 묶음이 되고, 나머지는 몇 개인지 구하시오.

(   )

3 소수점 아래 133째 자리의 숫자는 무엇입니까?

(   )

1 쌓기나무를 다음과 같이 규칙적으로 쌓으려고 합니다. 155째 번 모양을 쌓는 데 사용될 쌓기나무는 몇 개인지 구하시오.

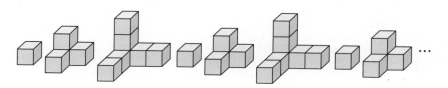

풀이▶

답 _____

2 숫자를 규칙적으로 늘어놓았습니다. 402째 번까지의 숫자 중에서 숫자 7은 몇 번 나오는지 구하시오.

> 7, 7, 1, 5, 5, 7, 7, 1, 5, 5, 7, 7, 1, 5, 5, 7, 7, 1, …

(전체 개수)÷(반복되는 부분의 개수)를 하여 몇 묶음이 반복되는지 알아 봅니다.

풀이▶

답 _____

3 도형을 규칙적으로 늘어놓았습니다. 572개를 늘어놓았을 때, ◇는 몇 개 있는지 구하시오.

먼저 반복되는 부분을 찾아 한 묶음 안에 ◇ 가 몇 개 들어 있는지 알 아봅니다.

답 _____

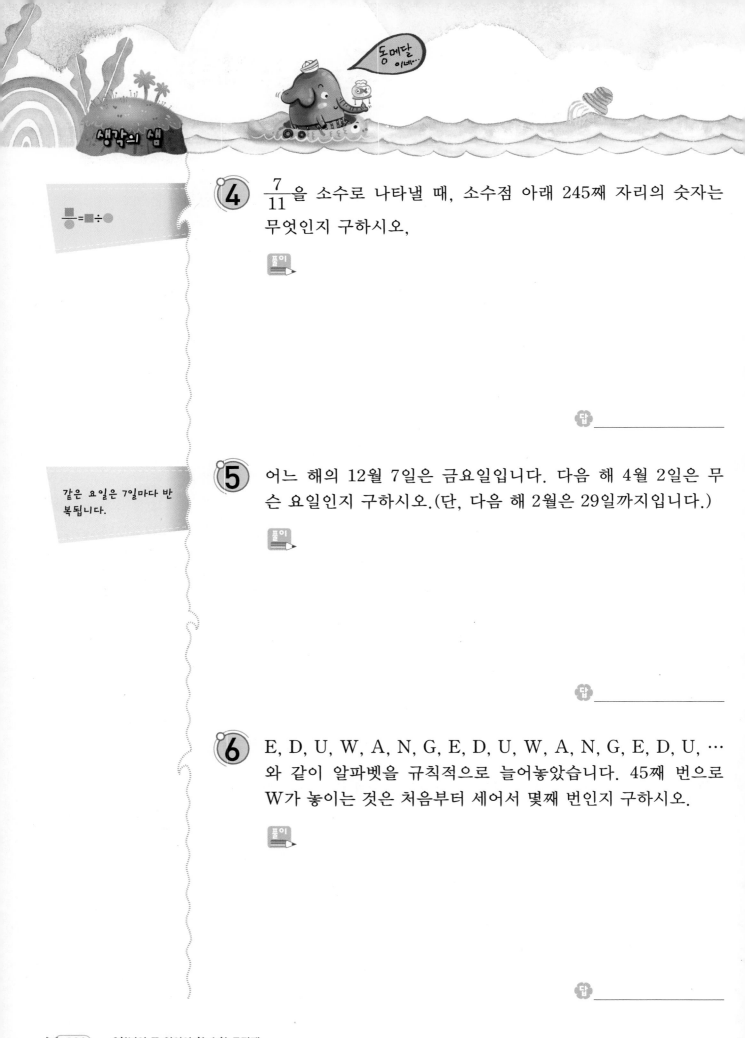

4 $\dfrac{7}{11}$ 을 소수로 나타낼 때, 소수점 아래 245째 자리의 숫자는 무엇인지 구하시오.

풀이 ▶

답 _____

5 어느 해의 12월 7일은 금요일입니다. 다음 해 4월 2일은 무슨 요일인지 구하시오.(단, 다음 해 2월은 29일까지입니다.)

풀이 ▶

답 _____

6 E, D, U, W, A, N, G, E, D, U, W, A, N, G, E, D, U, … 와 같이 알파벳을 규칙적으로 늘어놓았습니다. 45째 번으로 W가 놓이는 것은 처음부터 세어서 몇째 번인지 구하시오.

풀이 ▶

답 _____

1 도형을 다음과 같이 규칙적으로 늘어놓았습니다. 583개를 늘어놓았을 때, ♡와 ☆의 개수의 합을 구하시오.

♡♡♤☆♡☆♤♡♡♤☆♡☆♤♡♡♤☆♡☆…

풀이▶

반복되는 부분 안에 ♡와 ☆이 각각 몇 개씩 들어 있는지 알아봅니다.

답 _____

2 수를 다음과 같이 규칙적으로 늘어놓았습니다. 412째 번까지의 수에서 4와 8 중 어느 수가 몇 번 더 많이 나오는지 구하시오.

4, 4, 7, 5, 8, 2, 4, 8, 4, 4, 7, 5, 8, 2, 4, 8, 4, 4, …

풀이▶

반복되는 부분 안에 들어 있는 4와 8의 개수의 차를 알아봅니다.

답 _____

3 쌓기나무로 쌓은 모양을 규칙에 따라 늘어놓았습니다. 처음부터 73째 번 모양까지의 쌓기나무는 모두 몇 개인지 구하시오.

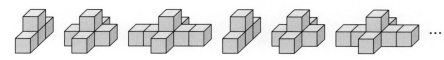

풀이▶

답 _____

4 17÷27을 소수로 나타내려고 합니다. 소수점 아래 첫째 자리부터 151째 자리까지의 숫자의 합을 구하시오.

먼저 반복되는 부분 안에 있는 수들의 합을 구해봅니다.

답 _____

5 7을 두 번 곱하면 49, 세 번 곱하면 343이 됩니다. 7을 450번 곱하면 일의 자리의 숫자는 얼마가 되는지 구하시오.

7을 두 번, 세 번, … 곱했을 때 일의 자리의 숫자에는 어떤 규칙이 있는지 알아봅니다.

답 _____

6 2006년 6월 13일은 화요일입니다. 2009년 8월 30일은 무슨 요일인지 구하시오. (단, 2008년은 윤년입니다.)

날수가 366일인 해를 윤년이라고 합니다.

답 _____

1

수를 규칙적으로 늘어놓았습니다. 처음부터 100째 번까지의 수들의 합을 구하시오.

$$\frac{1}{25}, \ 0.08, \ \frac{3}{25}, \ 0.16, \ \frac{1}{5}, \ 0.24, \ \frac{1}{25}, \ 0.08, \ \frac{3}{25}, \ 0.16, \ \frac{1}{5}, \ 0.24, \ \cdots$$

분수와 소수가 섞여 있는 계산은 분수를 소수로 고치거나, 소수를 분수로 고쳐 계산하면 편리합니다.

풀이

답 _____

2

다음과 같은 규칙으로 동전을 늘어놓았습니다. 금액의 합이 65800원이 되는 것은 처음부터 몇째 번 동전까지의 금액의 합인지 구하시오.

65800÷(반복되는 부분의 금액)
=(묶음 수)…(남는 금액)

풀이

답 _____

3

$4\frac{5}{13}$를 소수로 나타낼 때, 소수점 아래 140째 자리에서 반올림하면 소수점 아래 139째 자리의 숫자는 무엇이 되는지 구하시오.

소수점 아래 140째 자리의 숫자와 139째 자리의 숫자를 각각 구해서 해결합니다.

풀이

답 _____

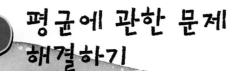

7 평균에 관한 문제 해결하기

상연이가 4회까지 본 국어 시험의 평균은 72점입니다. 5회째에 92점을 받는다면, 5회까지의 평균 점수는 몇 점이 되는지 구하시오.

풀이1 ▶ 상연이의 5회까지의 국어 시험의 총점은 72×4+92=380(점)이므로, 평균 점수는 380÷5=76(점)입니다.

꼼꼼 돌다리
(5회까지의 평균 점수)
=(5회까지의 총점)÷5

풀이2 ▶ 5회째의 점수는 4회까지의 평균 점수보다 92-72=20(점)이 높으므로, 5회까지 72점씩으로 생각하여 남은 20점을 똑같이 나눈다면 1회에 20÷5=4(점)씩 나누어 줄 수 있습니다.
따라서, 5회까지의 평균 점수는 72+4=76(점)입니다.

Check Point

전체를 더한 합계를 개수로 나눈 것을 평균이라고 합니다.
(평균)=(합계)÷(개수), (합계)=(평균)×(개수)

확인문제 신영이네 학교 6학년 반별 학생 수를 나타낸 표입니다. 3반의 학생 수는 몇 명인지 구하시오.

반별 학생 수

반	1	2	3	4	평균
학생 수(명)	33	35		38	35

1 3반을 제외한 나머지 반의 학생 수의 합을 구하시오.

( )

2 6학년 전체 학생 수를 구하시오.

( )

(전체 학생 수)
=(평균 학생수)×

3 3반의 학생 수는 몇 명인지 구하시오.

( )

1 가영이네 학교와 효근이네 학교의 총 학생 수와 운동장의 넓이를 각각 조사하여 나타낸 표입니다. 한 학생당 사용할 수 있는 운동장의 넓이가 더 넓은 학교를 쓰시오.

운동장의 넓이를 학생 수로 나누어 한 학생당 사용할 수 있는 넓이를 알아봅니다.

	총 학생 수(명)	운동장의 넓이(m^2)
가영이네 학교	585	7020
효근이네 학교	720	7920

 풀이 ▶

답 ＿＿＿＿＿＿＿＿＿＿＿

2 다음 수 중에서 125 이상인 수들의 평균을 구하시오.

| 155 | 120 | 119 | 125 | 140 | 124 | 200 |

- ● 이상인 수 :
  ●와 같거나 큰 수
- ▲ 이하인 수 :
  ▲와 같거나 작은 수
- ■ 초과인 수 :
  ■보다 큰 수
- ♥ 미만인 수 :
  ♥보다 작은 수

 풀이 ▶

답 ＿＿＿＿＿＿＿＿＿＿＿

3 동민이네 학교에서 지난 주에 결석한 학생 수를 요일별로 나타낸 표입니다. 결석한 학생 수가 결석한 평균 학생 수보다 많은 요일을 모두 쓰시오.

(결석한 평균 학생 수)
=(결석한 총 학생 수)÷6

결석한 학생 수

요일	월	화	수	목	금	토
학생 수(명)	6	3	4	0	3	2

 풀이 ▶

답 ＿＿＿＿＿＿＿＿＿＿＿

4 규형이는 일 주일 동안 6시간 32분을 공부하였고, 용희는 10일 동안 9시간 40분을 공부하였습니다. 하루 평균 공부한 시간은 누가 몇 분 더 많은지 구하시오.

시간을 분 단위로 고쳐 평균 시간을 구합니다.

답 _____

5 가영이는 일 주일 동안 하루 평균 35쪽의 책을 읽었습니다. 6일째까지 200쪽의 책을 읽었다면, 7일째에는 몇 쪽을 읽었는지 구하시오.

(일 주일 동안 읽은 책의 쪽수)
=(하루 평균 읽은 책의 쪽수)×7

답 _____

6 한별이네 과수원에는 포도나무가 80그루 있습니다. 포도나무 한 그루당 평균 120송이씩 포도가 열린다고 합니다. 포도나무 80그루에서 열린 포도를 한 상자에 16송이씩 모두 담으려면, 상자는 몇 개 필요한지 구하시오.

먼저 포도나무 80그루에 열린 포도의 수를 구합니다.

답 _____

1 4시간에 320km를 달리는 자동차가 있습니다. 이 자동차가 5시간 36분 동안 같은 빠르기로 달렸다면, 몇 km를 달린 셈인지 구하시오.

먼저 자동차가 한 시간에 몇 km를 갈 수 있는지 알아봅니다.

답 _____

2 마을별 고추 생산량을 조사하여 나타낸 표입니다. 네 마을의 평균 고추 생산량이 9500kg이고, 가 마을의 생산량이 라 마을의 생산량의 2배일 때, 가와 라 마을의 생산량은 몇 kg인지 각각 구하시오.

먼저 가 마을과 라 마을의 고추 생산량의 합을 구합니다.

마을별 고추 생산량

마을	가	나	다	라
생산량(kg)		6200	9000	

답 _____

3 상연이네 반 남학생 20명과 여학생 18명이 몸무게를 재었습니다. 남학생의 평균 몸무게는 44.5kg이고, 여학생의 평균 몸무게는 42kg이었습니다. 상연이네 반 전체 학생의 평균 몸무게는 약 몇 kg인지 반올림하여 소수 첫째 자리까지 구하시오.

(전체 학생의 평균 몸무게)={(남학생 20명의 몸무게의 합)+(여학생 18명의 몸무게의 합)}÷38

답 _____

4 어떤 운동 선수가 걷기 시작하여 2시간 동안 9km를 걷고, 계속해서 다시 3시간 동안 12km를 걸어 목적지에 도착하였습니다. 이 운동 선수가 걷기 시작하여 목적지에 도착할 때까지 한 시간에 평균 몇 km를 걸은 셈인지 구하시오.

> 총 걸은 거리를 총 걸은 시간으로 나누어 구합니다.

답 _____

5 석기는 일 주일 동안 매일 달리기를 하였습니다. 매일 전날보다 5m씩 더 달려서 일 주일 동안 달린 거리의 평균이 300m 라고 합니다. 첫째 날 달린 거리는 몇 m인지 구하시오.

> 평균은 전체 자료의 중 간값임을 이용해 보세 요.

답 _____

6 영수네 반 학생은 32명이고, 평균 키는 141cm입니다. 그런데 오늘 한 명이 전학을 와서 평균 키가 0.3cm 더 커졌습니다. 전학 온 학생의 키는 몇 cm인지 구하시오.

> 한 명이 전학을 와서 영 수네 반 학생은 모두 32+1=33(명)이 되었습 니다.

답 _____

1 서로 다른 세 수 가, 나, 다가 있습니다. 가와 나의 평균은 23 이고, 나와 다의 평균은 20이고, 가와 다의 평균은 17입니다. 가, 나, 다의 평균은 얼마인지 구하시오.

풀이 ✏

(두 수의 합)
=(두 수의 평균)×2

답 _____

2 수학경시대회에서 예슬이는 신영이보다 6점 높은 점수를, 신영이는 한별이보다 12점 높은 점수를 받았습니다. 세 사람의 평균이 82점일 때, 예슬이가 받은 점수는 몇 점인지 구하시오.

풀이 ✏

3사람의 점수를 선분으로 나타내어 해결해 보세요!

답 _____

3 율기가 지금까지 본 수학 시험의 평균은 75점입니다. 이번 시험에서 90점을 받아서 평균 77.5점이 되었다고 할 때, 시험은 모두 몇 회를 본 것인지 구하시오.

풀이 ✏

평균이 77.5-75=2.5(점) 오른 것에 주의하여 구합니다.

답 _____

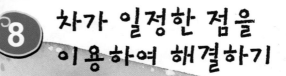

올해 효근이의 나이는 13살이고, 아버지의 연세는 47세입니다. 아버지의 연세가 효근이의 나이의 3배가 되는 것은 올해부터 몇 년 후인지 구하시오.

풀이 아버지와 효근이의 나이의 차는 47-13=34(살)입니다. 몇 년 후의 나이를 그림으로 나타내면 다음과 같습니다.

아버지의 연세 ├──╫──┤〰〰〰├──╫──╫──┤
　　　　　　　　　　　　　〰34살〰
효근이의 나이 ├──╫──┤

위의 그림에서 몇 년 후의 효근이의 나이는 34÷(3-1)=17(살)이 됩니다. 따라서, 17-13=4(년) 후입니다.

꼼꼼 돋다리

> 아버지와 효근이의 나이의 차는 시간이 지나도 항상 같습니다.

Check Point

차가 항상 일정하다는 것을 생각하여 문제를 해결합니다.

확인 문제

율기는 올해 12살이고, 선생님은 율기보다 30살이 많습니다. 선생님의 연세가 율기의 나이의 4배가 되었던 것은 올해부터 몇 년 전인지 구하시오.

1 몇 년 전의 선생님과 율기의 나이를 그림으로 나타내었습니다. □ 안에 알맞은 수를 써 넣으시오.

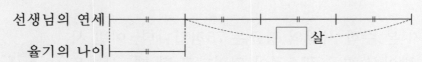

선생님의 연세 ├──╫──┤〰〰├──╫──╫──┤〰〰├──╫──┤
　　　　　　　　　　　　　〰〰□살〰〰
율기의 나이 ├──╫──┤

> 선생님과 율기의 나이 차는 몇 년 전에도 변함이 없었습니다.

2 몇 년 전의 율기의 나이를 구하시오.

(　　　　　　　　)

3 선생님의 연세가 율기의 나이의 4배가 되었던 것은 올해부터 몇 년 전인지 구하시오.

(　　　　　　　　)

1 올해 어머니 연세는 40세이고, 아들의 나이는 12살입니다. 어머니의 연세가 아들의 나이의 3배가 되는 것은 올해부터 몇 년 후인지 구하시오.

풀이▶

올해 어머니의 연세와 아들의 나이 차는 (40-12)살이고, 몇 년 후에도 나이의 차는 변함이 없습니다.

답_____

2 동물원에 있는 코끼리의 올해 나이는 48살이고, 곰의 올해 나이는 15살입니다. 코끼리의 나이가 곰의 나이의 4배가 되었던 것은 올해부터 몇 년 전인지 구하시오.

풀이▶

올해 코끼리의 나이와 곰의 나이 차는 (48-15)살이고, 몇 년 전에도 나이의 차는 변함이 없었습니다.

답_____

3 지금 초콜릿을 율기는 68개, 한별이는 50개를 가지고 있습니다. 두 사람이 초콜릿을 내일부터 각각 하루에 한 개씩 먹는다면 율기의 남는 초콜릿의 개수가 한별이의 남는 초콜릿의 개수의 3배가 되는 것은 오늘부터 며칠 후인지 구하시오.

풀이▶

답_____

4

지혜의 스티커가 몇 장 남았을 때인지 알아봅니다.

지혜와 한솔이는 스티커를 각각 몇 장씩 가지고 있었습니다. 스티커를 매달 1장씩 사용하고 나니 지혜는 10장, 한솔이는 30장이 남았습니다. 한솔이의 남은 스티커 수가 지혜의 남은 스티커 수의 2배가 되었던 것은 지금부터 몇 달 전인지 구하시오.

답 _____

5

동민이의 남는 돈이 얼마일 때 웅이의 남는 돈이 동민이의 남는 돈의 2배가 되는지 알아봅니다.

지금 동민이는 5000원, 웅이는 8000원을 가지고 있습니다. 두 사람이 내일부터 매일 500원씩 쓰기로 하였다면 웅이의 남는 돈이 동민이의 남는 돈의 2배가 되는 것은 오늘부터 며칠 후인지 구하시오.

답 _____

6

먼저 올해 석기의 나이를 구합니다.

올해 이모와 석기의 나이의 합은 28살이고, 나이의 차는 16살입니다. 이모의 연세가 석기의 나이의 3배가 되는 것은 올해부터 몇 년 후인지 구하시오.

답 _____

1 올해 어머니의 연세와 예슬이의 나이의 합은 48살이고, 나이의 차는 24살입니다. 어머니의 연세가 예슬이의 나이의 4배였던 때의 어머니의 연세를 구하시오.

풀이

어머니의 연세가 예슬이의 나이의 4배였을 때의 예슬이의 나이를 구해 봅니다.

답 _____

2 올해 삼촌과 조카의 나이의 차는 21살이고, 삼촌의 연세가 조카의 나이의 2.5배입니다. 올해 삼촌의 연세를 구하시오.

풀이

올해 조카의 나이는 (삼촌과 조카의 나이 차)÷(2.5-1)입니다.

답 _____

3 올해 선생님과 석기의 나이의 차는 12살이고, 선생님의 연세는 석기의 나이의 1.8배입니다. 올해 선생님과 석기의 나이의 합을 구하시오.

풀이

(석기의 나이) =(선생님과 석기의 나이 차)÷(1.8-1)

답 _____

4 올해 할머니의 연세는 58세이고, 두 손녀의 나이는 각각 10살, 7살입니다. 두 손녀의 나이의 합이 할머니의 연세와 같아지는 것은 올해부터 몇 년 후인지 구하시오.

> 일 년이 지나면 할머니의 연세는 1살, 두 손녀의 나이의 합은 2살이 많아집니다.

답 _____

5 올해 아버지의 연세는 42세이고, 나와 동생의 나이의 합은 22살입니다. 아버지의 연세가 나와 동생의 나이의 합과 같아지는 해의 나와 동생의 나이의 합을 구하시오.

> 아버지의 연세가 나와 동생의 나이의 합과 같아지는 것이 몇 년 후인지 먼저 알아봅니다.

답 _____

6 올해 이모의 연세는 35세이고, 오빠와 나의 나이의 합은 18살입니다. 오빠가 나보다 4살 많을 때, 이모의 연세가 오빠와 나의 나이의 합과 같아지는 해의 오빠의 나이를 구하시오.

> 오빠와 나의 나이의 합이 18살이고 오빠가 나보다 4살 많을 때 오빠의 나이는 {(18+4)÷2}살입니다.

답 _____

1 올해 할아버지의 연세는 66세이고, 동민이와 한별이의 나이는 각각 12살입니다. 할아버지의 연세가 동민이와 한별이의 나이의 합의 2배가 되는 것은 올해부터 몇 년 후인지 구하시오.

풀이▶

□년 후에 할아버지의 연세는 □세가 많아지고, 동민이와 한별이의 나이의 합은 (□×2)살이 많아집니다.

답_____

2 올해 어머니와 딸의 나이의 합은 56살이고, 나이의 비는 3 : 1입니다. 몇 년 후 어머니와 딸의 나이의 비가 5 : 3이 될 때의 딸의 나이를 구하시오.

풀이▶

올해 어머니의 연세는 $\left(56 \times \dfrac{3}{3+1}\right)$세입니다.

답_____

3 사탕을 율기는 20개, 신영이는 28개를 가지고 있었습니다. 어머니께서 두 사람에게 각각 똑같은 개수만큼 사탕을 더 주셨더니 율기가 갖게 된 사탕의 개수의 5배가 신영이가 갖게 된 사탕의 개수의 4배와 같아졌습니다. 어머니께서 사탕을 몇 개씩 더 주셨는지 구하시오.

풀이▶

율기가 갖게 된 사탕 수와 신영이가 갖게 된 사탕 수의 비는 4 : 5입니다.

답_____

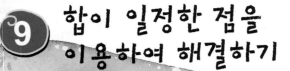

9 합이 일정한 점을 이용하여 해결하기

탐구 문제

한별이는 900원, 동민이는 1200원을 갖고 있었습니다. 한별이가 동민이에게 얼마를 주고 나니 동민이의 돈이 한별이의 돈의 2배가 되었습니다. 한별이가 동민이에게 준 금액을 구하시오.

✏️ 풀이 두 사람이 갖고 있는 돈은 900+1200=2100(원)입니다. 한별이가 동민이에게 돈을 주고 난 뒤 두 사람이 갖고 있는 돈을 그림으로 나타내면 다음과 같습니다.

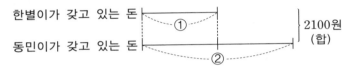

한별이가 갖고 있는 돈 ┤———①———├
동민이가 갖고 있는 돈 ┤————②————├ 2100원 (합)

꼼꼼 돌다리
> 두 사람이 돈을 주고 받아도 두 사람이 가지고 있는 돈의 합은 변하지 않습니다.

위의 그림에서 한별이가 갖고 있는 돈이
2100÷(2+1)=700(원)이 되어야 합니다.
따라서, 한별이가 동민이에게 900-700=200(원)을 주었습니다.

Check Point
두 수의 합이 항상 일정하다는 것을 생각하여 문제를 해결합니다.

확인 문제

구슬을 상연이는 100개, 한솔이는 60개를 가지고 있었습니다. 한솔이가 상연이에게 구슬 몇 개를 주고 나니 상연이의 구슬 수가 한솔이의 구슬 수의 4배가 되었습니다. 한솔이가 상연이에게 몇 개의 구슬을 주었는지 구하시오.

1 한솔이가 상연이에게 구슬을 주고 난 뒤 두 사람이 갖고 있는 구슬을 그림으로 나타내었습니다. ☐ 안에 알맞은 수를 써 넣으시오.

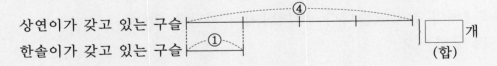

상연이가 갖고 있는 구슬 ┤————④————├
한솔이가 갖고 있는 구슬 ┤—①—├ ☐개 (합)

> 두 사람이 가지고 있는 구슬 수는 변함이 없습니다.

2 한솔이가 가지고 있는 구슬이 몇 개가 되었을 때 상연이의 구슬 수가 한솔이의 구슬 수의 4배가 됩니까? (   )

3 한솔이가 상연이에게 몇 개의 구슬을 주었는지 구하시오.
(   )

1 수조 가에는 80L, 나에는 140L의 물이 들어 있었습니다. 나에서 가로 10분 동안 물을 옮겨 넣었더니 두 수조의 물의 양이 같아졌습니다. 1분에 몇 L씩 옮겨 넣은 셈인지 구하시오.

풀이▶

> 두 수조에 들어 있는 물의 양은 모두 (80+140)L 입니다.

답 _____

2 돼지고기가 냉동창고 가와 나에 각각 732kg, 516kg 들어 있었습니다. 냉동창고 가에서 나로 한 번에 18kg씩 옮겼더니 두 냉동창고에 들어 있는 돼지고기의 양이 같아졌습니다. 돼지고기를 몇 번 옮긴 것인지 구하시오.

풀이▶

> 두 냉동창고에 들어 있는 돼지고기의 양의 합은 변함이 없습니다.

답 _____

3 기름탱크 가와 나에 각각 20.4t, 26.8t의 기름이 들어 있었습니다. 기름탱크 나에서 가로 1분에 100kg씩 몇 분 동안 기름을 옮겨 넣었더니 두 기름탱크의 기름의 양이 같아졌습니다. 몇 분 만에 두 기름탱크의 기름의 양이 같아졌는지 구하시오.

풀이▶

답 _____

4 사탕을 한솔이는 88개, 용희는 104개를 갖고 있습니다. 한솔이가 용희에게 사탕 몇 개를 주면 용희의 사탕의 수가 한솔이의 사탕의 수의 2배가 되는지 구하시오.

> 두 사람이 갖고 있는 사탕은 모두 (88+104)개입니다.

✎ 풀이

답 _____

5 물탱크 가와 나에 각각 120.8L, 315.6L의 물이 들어 있었습니다. 물탱크 가에서 나로 몇 L의 물을 옮겨 넣었더니 나의 물이 가의 물의 3배가 되었습니다. 물탱크 가에서 나로 몇 L의 물을 옮겨 넣었는지 구하시오.

> 물탱크 가에서 나로 물을 옮겨 넣은 뒤 가에 남은 물의 양을 ①로 놓으면 나의 물의 양은 ③입니다.

✎ 풀이

답 _____

6 동민이와 웅이는 길이가 각각 12.8m, 27.4m인 철사를 갖고 있었습니다. 동민이가 웅이에게 철사를 몇 cm 주고 나니 웅이의 철사의 길이가 동민이의 철사의 길이의 4배가 되었습니다. 동민이가 웅이에게 철사를 몇 cm 주었는지 구하시오.

✎ 풀이

답 _____

1 한초와 석기는 같은 금액을 내어 장난감 20개를 샀습니다. 한초가 석기보다 4개를 더 갖기로 하고 대신에 석기에게 400원을 주었습니다. 한초와 석기가 처음에 각각 얼마씩 내었는지 구하시오.

한초가 가진 장난감 수는?
➡ (20+4)÷2
한초가 본래 가져야 할 장난감 수는?
➡ 20÷2

답 _____

2 신영이와 한별이는 같은 금액을 내어 카드 100장을 샀습니다. 한별이는 신영이보다 20장을 더 갖기로 하고 대신에 신영이에게 500원을 주었습니다. 한별이가 카드값으로 낸 돈은 모두 얼마인지 구하시오.

한별이는 본래 가져야 할 카드보다 10장을 더 가져서 500원을 신영이에게 준 것입니다.

답 _____

3 지혜와 영수는 각각 3000원씩을 내어 연필 2다스를 산 후, 지혜가 영수보다 8자루를 더 많이 가졌습니다. 각자 가진 연필의 개수만큼 돈을 내려면 지혜는 영수에게 얼마를 주면 되는지 구하시오.

(연필 한 자루의 값)
=(두 사람이 낸 돈의 합)
÷(산 연필의 수)

답 _____

효근이가 동민이에게 돈을 주어도 두 사람이 갖고 있는 돈의 합은 변하지 않습니다.

4 동민이와 효근이는 각각 300원, 500원을 갖고 있었습니다. 효근이가 동민이에게 얼마를 주고 나니 오히려 동민이가 효근이보다 100원이 더 많아졌습니다. 효근이는 동민이에게 얼마를 준 것인지 구하시오.

답 _____

물을 옮긴 뒤에도 물의 양의 합은 변하지 않습니다.

5 물탱크 A에는 32L, 물탱크 B에는 40L의 물이 들어 있었습니다. 물탱크 B에서 A로 얼마의 물을 옮겼더니 오히려 A의 물이 B의 물보다 4L 더 많아졌습니다. 물탱크 B에서 A로 몇 L의 물을 옮겼는지 구하시오.

답 _____

6 가 통에는 8.8L, 나 통에는 5.6L의 포도 주스가 들어 있었습니다. 가 통에서 나 통으로 몇 L의 포도 주스를 옮기고 나니 가 통이 나 통보다 1.6L 많았습니다. 가 통에서 나 통으로 몇 L의 포도 주스를 옮겼는지 구하시오.

답 _____

1 한솔이가 웅이에게 1000원을 주면 두 사람이 갖고 있는 금액이 같아지고, 웅이가 한솔이에게 1000원을 주면 한솔이의 돈이 웅이의 돈의 2배가 됩니다. 두 사람이 갖고 있는 돈의 합을 구하시오.

> 두 사람이 돈을 주고 받아도 갖고 있는 금액의 합은 변함이 없습니다.

답_____

2 상연이가 율기에게 구슬을 8개 주면 두 사람이 갖고 있는 구슬의 수가 같아지고, 율기가 상연이에게 8개를 주면 상연이가 갖고 있는 구슬의 수가 율기가 갖고 있는 구슬의 수의 5배가 됩니다. 상연이가 갖고 있는 구슬은 몇 개인지 구하시오.

> 상연이는 처음에 율기보다 (8×2)개의 구슬을 더 가지고 있던 셈입니다.

답_____

3 배를 예슬이는 몇 개, 가영이는 10개 갖고 있었습니다. 예슬이가 가영이에게 4개의 배를 주고 나니, 가영이의 배가 예슬이의 배보다 4개 더 많아졌습니다. 예슬이와 가영이의 배의 개수의 비가 3:5가 되려면 예슬이는 가영이에게 앞으로 배를 몇 개 더 주어야 하는지 구하시오.

> 가영이의 배의 개수가 (10+4)개가 되었으므로 예슬이의 배의 개수보다 4개 더 많아졌네요!

답_____

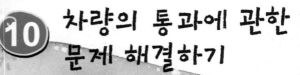

⑩ 차량의 통과에 관한 문제 해결하기

길이가 140m인 열차가 매초 24m의 빠르기로 달리고 있습니다. 이 열차가 길이 1492m의 철교를 건너는 데는 몇 초가 걸리는지 구하시오.

풀이 그림을 그려 살펴봅니다.

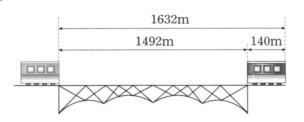

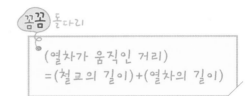

꼼꼼 돌다리

(열차가 움직인 거리)
=(철교의 길이)+(열차의 길이)

열차가 철교의 진입 부분에 들어서서 철교를 완전히 빠져나갈 때까지 움직인 거리는
1492＋140＝1632(m)입니다.

따라서, 열차가 철교를 완전히 건너는 데 걸린 시간은 1632÷24＝68(초)입니다.

Check Point

• 열차가 철교를 건널 때 걸린 시간:
  (걸린 시간)＝(철교 길이＋열차 길이)÷(열차의 빠르기)
• 열차가 어느 지점을 지날 때 걸린 시간:
  (걸린 시간)＝(열차 길이)÷(열차의 빠르기)

확인문제

길이가 110m인 열차가 매초 20m의 빠르기로 달리고 있습니다. 이 열차가 1분 10초 만에 어떤 다리를 완전히 건넜다면 이 다리의 길이는 몇 m인지 구하시오.

1 열차의 길이는 몇 m입니까?

(   )

2 열차가 움직인 총 거리는 몇 m입니까?

(   )

다리의 길이는 열차가 움직인 총 거리에서 열차의 길이를 빼면 되요!

3 다리의 길이는 몇 m인지 식을 세워 구하시오.

(   )

1 길이가 14m인 트럭이 매초 12m의 빠르기로 달리고 있습니다. 이 트럭이 길이 550m인 터널을 완전히 통과하는 데 몇 초가 걸리는지 구하시오.

• (트럭이 움직인 거리)
  =(터널의 길이)+(트럭의 길이)
• (터널을 완전히 통과하는 데 걸리는 시간)
  =(트럭이 움직인 거리)÷(트럭의 빠르기)

풀이

답 _____

2 길이가 96m인 열차가 1초에 32m의 빠르기로 달리고 있습니다. 이 열차가 길 옆에 서 있는 신호등 앞을 지나는 데 걸리는 시간은 몇 초인지 구하시오.

(걸리는 시간)=(열차의 길이)÷(열차의 빠르기)

풀이

답 _____

3 길이가 100m이고, 매초 25m의 빠르기로 달리는 열차가 1분 20초 만에 어떤 철교를 완전히 건넜습니다. 철교의 길이는 열차의 길이의 몇 배인지 구하시오.

먼저 철교의 길이를 구해 봅니다.

풀이

답 _____

4

가 열차와 나 열차가 철교를 건너는 데 걸린 시간을 각각 구해 봅니다.

길이 110m인 가 열차는 매초 20m의 빠르기로, 길이 120m인 나 열차는 매초 19m의 빠르기로 달립니다. 두 열차가 길이 2350m인 철교를 완전히 건너는 데 걸린 시간은 어느 열차가 몇 초 더 빠른지 구하시오.

답 _____

5

열차가 1초 동안 달리는 거리는?
➡ (1440÷60)m

매분 1km 440m의 빠르기로 달리는 열차가 1분 50초 만에 어떤 철교를 완전히 건넜습니다. 이 열차의 길이가 140m일 때, 열차의 길이와 철교의 길이를 가장 간단한 자연수의 비로 나타내시오.

답 _____

6

버스가 42초 동안 달린 거리는? ➡ (15×42)m

어떤 버스가 1초에 15m의 빠르기로 달려서 620m 길이의 다리를 완전히 건너는 데 42초가 걸렸습니다. 이 버스가 10초에 200m의 빠르기로 달려서 1050m 길이의 터널을 완전히 통과하는 데는 몇 초가 걸리는지 구하시오.

답 _____

1 길이가 100m인 A 열차가 매초 26m의 빠르기로 어떤 철교를 완전히 건너는 데 1분 20초가 걸렸습니다. 이 철교를 A 열차보다 20m 더 긴 B 열차가 매초 20m의 빠르기로 완전히 건너는 데는 몇 분 몇 초가 걸리는지 구하시오.

풀이 ▶

> (철교의 길이)
> =(A 열차의 빠르기)×
> 80-(A 열차의 길이)

답 _____

2 길이가 120m인 A 열차가 매초 24m의 빠르기로 어떤 철교를 완전히 건너는 데 $1\frac{1}{4}$분이 걸렸습니다. 이 철교를 길이가 160m인 B 열차가 80초 만에 완전히 건넜다면, B 열차는 매초 몇 m의 빠르기로 달린 셈인지 구하시오.

풀이 ▶

> $1\frac{1}{4}$분 ➡ 1분 15초

답 _____

3 길이가 80m인 여객용 열차가 매초 30m의 빠르기로 어떤 터널을 완전히 통과하는 데 43초가 걸렸습니다. 이 터널을 길이가 210m인 화물용 열차가 완전히 통과하는 데 1분 11초가 걸렸다면, 화물용 열차는 1시간에 몇 km를 달리는 셈인지 구하시오.

풀이 ▶

> 먼저, 터널의 길이부터 구해 봅니다.

답 _____

열차가 512m인 철교를 건너는 데 27초가 걸렸고, 1110m인 터널을 통과하는 데 53초가 걸렸다면 (1110-512)m를 가는 데 (53-27)초가 걸린 셈입니다.

4 어떤 열차가 길이 512m인 철교를 완전히 건너는 데 27초가 걸렸고, 같은 빠르기로 길이 1110m인 터널을 완전히 통과하는 데 53초가 걸렸다고 합니다. 이 열차가 1초에 가는 거리와 열차의 길이를 각각 구하시오.

답 _____

(보통열차의 빠르기)
=(두 열차의 빠르기의 합)-(고속열차의 빠르기)

5 길이 120m인 고속열차와 길이 150m인 보통열차가 서로 마주 향해 달리고 있습니다. 이 두 열차는 만나는 순간부터 떨어지는 순간까지 3초가 걸렸습니다. 고속열차가 1초에 70m의 빠르기로 달린다면 보통열차는 1초에 몇 m의 빠르기로 달리는지 구하시오.

답 _____

(나 열차의 길이)
=(가 열차가 따라잡은 거리)-(가 열차의 길이)

6 길이 140m인 가 열차는 1초에 24m의 빠르기로 달리고, 나 열차는 1초에 20m의 빠르기로 달립니다. 두 열차가 같은 방향으로 달릴 때 만나는 순간부터 떨어지는 순간까지 72초가 걸렸다면, 나 열차의 길이는 몇 m인지 구하시오.

답 _____

1 길이가 170m이고, 1시간에 60km를 달리는 A 열차와 길이가 130m인 B 열차가 있습니다. 이 두 열차가 마주 향하여 달려서 서로 만났다가 떨어지기까지 6초가 걸렸습니다. B 열차는 1시간에 몇 km를 달리는지 구하시오.

풀이▶

A 열차와 B 열차가 1초 동안 가는 빠르기의 합은? ➡ (두 열차 길이의 합)÷6입니다.

답

2 어떤 고속열차가 길이가 1320m인 터널을 완전히 통과하는 데 30초가 걸렸고, 912m인 철교를 완전히 건너는 데 22초가 걸렸습니다. 이 열차가 매초 34m의 빠르기로 마주 향하여 오는 130m 길이의 보통열차를 만났다가 떨어지기까지는 몇 초가 걸리는지 구하시오.

풀이▶

(고속열차의 빠르기) =(1320－912)÷(30－22)

답

3 매초 18m의 빠르기로 달리는 전철이 철교를 건너기 시작하여 32초 뒤에 전철의 맨 앞부분이 철교 길이의 $\frac{3}{4}$되는 지점까지 왔습니다. 그 부분부터 16초가 지난 후 전철은 철교를 완전히 벗어났습니다. 전철의 길이는 몇 m인지 구하시오.

풀이▶

(철교의 길이) =(전철이 32초 동안 달린 거리)÷$\frac{3}{4}$

답

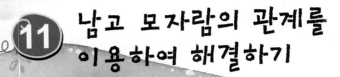
탐구
문제

구슬을 몇 사람에게 나누어 주려고 합니다. 한 사람당 4개씩 나누어 주면
12개가 남고, 7개씩 나누어 주면 15개가 부족하다고 합니다. 사람 수와 구
슬 수를 각각 구하시오.

풀이
사람 수를 □명으로 하고, 4개씩 나누어 줄 때와 7개씩 나누어 줄 때에 필요한 구슬 수의 차
이를 선분으로 나타내어 생각해 봅니다.

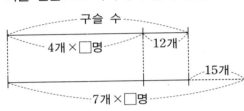

왼쪽 그림에서 볼 때, 사람들에게 4개씩 줄 때와
7개씩 줄 때의 구슬 수의 차는 12+15=27(개)이
므로, 사람 수는 27÷(7-4)=9(명)이고, 구슬
수는 4×9+12=48(개)입니다.

Check Point
- (남고 부족할 때의 차) ➡ (남음)+(부족)
- (양쪽 모두 남을 때의 차) ➡ (남음)-(남음)
- (양쪽 모두 부족할 때의 차) ➡ (부족)-(부족)

꼼꼼 돌다리

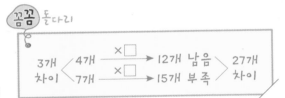

확인
문제

몇 개의 사탕을 학생들에게 나누어 주려고 합니다. 한 사람당 4개씩 나누어 주면 13개가 남
고, 8개씩 나누어 주면 19개가 부족하다고 합니다. 사람 수와 사탕 수를 각각 구하시오.

1 사람 수를 ★명으로 하
여 선분으로 나타내었
습니다. □ 안에 알맞은
수를 써 넣으시오.

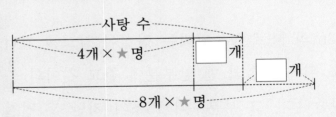

2 사람 수는 몇 명인지 구하시오.

( )

3 사탕 수는 몇 개인지 구하시오.

( )

■개가 남고,
▲개가 부족하다고
하면 차는 ■+▲로
나타낼 수
있지요.

동메달 따기

생각의 샘

1 연필을 몇 사람에게 나누어 주려고 합니다. 한 사람당 4자루씩 나누어 주면 5자루가 남고, 6자루씩 나누어 주려면 9자루가 부족하다고 합니다. 사람 수와 연필 수를 각각 구하시오.

풀이▶

(사람 수)={(남음)+(부족)}÷(나누어 주려는 연필 수의 차)
(연필 수)=(사람 수)×4+(남는 연필 수)

답 _____

2 딱지를 몇 사람에게 나누어 주려고 합니다. 한 사람당 20장씩 나누어 주면 24장이 남고, 6장씩 더 나누어 주면 12장이 부족하게 됩니다. 딱지는 몇 장인지 구하시오.

풀이▶

한 사람당 6장씩 더 주면 (20+6)장씩 갖게 됩니다.

답 _____

3 초콜릿을 몇 명에게 나누어 주려고 합니다. 한 사람에게 4개씩 나누어 주면 초콜릿은 6개 모자라고, 6개씩 나누어 주면 20개 모자라게 됩니다. 초콜릿은 몇 개인지 구하시오.

풀이▶

(양쪽 모두 부족할 때의 차)
➡ (부족)-(부족)

답 _____

연필을 20자루 살 돈으로 공책을 20권 샀다면 150×20=3000(원) 부족한 셈입니다. 모두 공책을 산 것으로 생각하여 식을 세웁니다.

4 동민이가 가지고 있는 돈으로 공책을 12권 사면 600원이 남고, 공책보다 150원 싼 연필을 사면 정확히 20자루를 살 수 있습니다. 동민이가 가지고 있는 돈은 얼마인지 구하시오.

풀이

답 _____

의자가 꼭 12개 부족한 것은 학생들이 (5×12)명 남는 것으로 생각하고, 의자가 꼭 3개 부족한 것은 학생들이 (8×3)명 남는 것으로 생각합니다.

5 학생들이 긴 의자 몇 개에 앉으려고 합니다. 의자 한 개에 5명씩 앉으면 의자가 꼭 12개 부족하고, 8명씩 앉으면 의자는 꼭 3개가 부족합니다. 의자 수와 학생 수를 각각 구하시오.

풀이

답 _____

클립을 35개씩 넣을 때 빈 통이 1개 남고 클립을 넣는 마지막 통에는 10개의 클립이 담긴다는 것은 빈 통에 들어갈 클립 35개와 마지막 통에 들어갈 클립 35-10=25(개), 즉 35+25=60(개)의 클립이 부족하다는 뜻과 같습니다.

6 주머니 안에 들어 있는 클립을 몇 개의 통에 나누어 넣으려고 합니다. 한 통에 30개씩 넣으면 클립은 20개 남고, 35개씩 넣으면 빈 통이 1개 남고 클립을 넣는 마지막 통에는 10개의 클립이 담깁니다. 주머니 안에 들어 있는 클립은 몇 개인지 구하시오.

풀이

답 _____

1 400원짜리 지우개를 몇 개 사서 학생들에게 한 개씩 주려고 하였지만 가지고 있는 돈으로는 지우개를 꼭 7개 부족하게 사게 됩니다. 그래서 한 개에 200원짜리 지우개를 샀더니 800원의 거스름돈이 남았습니다. 학생은 몇 명인지 구하시오.

풀이▶

한 개에 400원짜리 지우개를 사려면 400×7=2800(원)이 부족하게 됩니다.

답 _____

2 영수는 가지고 있는 돈으로 토마토를 사서 친구들과 한 개씩 나누어 먹으려고 합니다. 한 개에 800원짜리 토마토를 사려면 가지고 있는 돈으로는 토마토를 꼭 4개 덜 사게 되고, 한 개에 500원짜리 토마토를 사면 1300원이 남게 됩니다. 영수가 가지고 있는 돈은 얼마인지 구하시오.

풀이▶

800원짜리 토마토로 사려면 (800×4)원 부족한 셈입니다.

답 _____

3 위인전을 매일 24쪽씩 읽으면 마지막 날에는 8쪽을 읽게 되고, 같은 날수만큼 매일 28쪽씩 읽으려면 44쪽이 부족하게 됩니다. 위인전은 몇 쪽인지 구하시오.

풀이▶

매일 24쪽씩 읽을 때, 마지막 날 읽을 쪽수는 24-8=16(쪽)이 부족한 셈입니다.

답 _____

4 동물원에 있는 원숭이에게 사과를 매일 6개씩 주면 마지막 날에는 3개 밖에 줄 수 없고, 같은 날수만큼 매일 9개씩 주면 54개가 부족하다고 합니다. 가지고 있는 사과는 몇 개인지 구하시오.

사과를 매일 6개씩 주면 마지막 날에는 6-3=3(개)가 부족한 셈입니다.

답 _____

5 구슬을 몇 사람에게 나누어 주려고 합니다. 한 사람당 10개씩 나누어 주려면 68개가 부족하고, 10개씩 2명에게 나누어 주고 나머지 사람들에게 6개씩 나누어 주면 24개가 부족하다고 합니다. 사람은 몇 명인지 구하시오.

모두에게 10개씩 주면 68개가 부족하고, 6개씩 주면 24-(10-6)×2=16(개) 부족한 셈입니다.

답 _____

6 상자에 담겨 있는 공책을 한 학생당 4권씩 나누어 주면 8권이 남고, 11권씩 2명에게 나누어 주고 나머지 학생들에게 8권씩 나누어 주면 26권이 부족하다고 합니다. 학생 수와 공책 수를 각각 구하시오.

모두에게 4권씩 주면 8권이 남고, 8권씩 주면 26-(11-8)×2=20(권) 부족한 셈입니다.

답 _____

1 몇 개의 사탕을 어른과 어린이에게 나누어 주려고 합니다. 어린이가 어른보다 2명 더 많다고 할 때, 어린이 한 명에게 3개씩, 어른 한 명에게 2개씩 나누어 주면 30개가 남고, 어린이 한 명에게 6개씩, 어른 한 명에게 4개씩 나누어 주면 11개가 부족하게 됩니다. 사탕은 모두 몇 개인지 구하시오.

풀이 ▶

어른과 어린이 수가 같다고 생각하여 사탕을 어린이에게 3개씩, 어른에게 2개씩 주면 30+3×2=36(개) 남고, 어린이에게 6개씩 어른에게 4개씩 주면 6×2-11=1(개) 남는 셈입니다.

답 _____

2 딱지 몇 장을 사람들에게 나누어 주려고 하는데 그 중 4사람에게는 14장씩, 5사람에게는 12장씩, 나머지 사람에게는 10장씩 나누어 주면 22장 남고, 모두에게 똑같이 12장씩 나누어 주면 6장이 부족하다고 합니다. 딱지는 몇 장인지 구하시오.

풀이 ▶

모두에게 10장씩 나누어 주면 22+(14-10)×4+(12-10)×5=48(장)이 남게 됩니다.

답 _____

3 율기네 반 학생들에게 귤과 떡을 나누어 주려고 합니다. 귤은 4개씩 나누어 주면 5사람 몫이 남게 되고, 떡은 11개씩 나누어 주면 6사람 몫이 부족하게 됩니다. 귤과 떡을 합하여 344개라면 귤은 몇 개인지 구하시오.

풀이 ▶

귤과 떡의 합에서 귤을 4×5=20(개) 빼고, 떡을 11×6=66(개)를 더하여 학생들에게 나누어 주면 남고 부족함 없이 꼭 맞게 됩니다.

답 _____

탐구 문제

동민이는 가지고 있던 용돈의 $\frac{4}{7}$로 아이스크림을 샀습니다. 아이스크림값이 2000원이면, 동민이가 가지고 있던 용돈은 얼마인지 구하시오.

✏️ 풀이 그림을 그려 살펴봅니다.

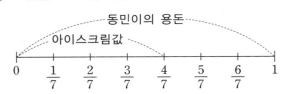

용돈의 $\frac{4}{7}$가 2000원이므로 동민이가 가지고 있던 용돈은 $2000 \div 4 \times 7 = 3500$(원) 또는

$2000 \div \frac{4}{7} = \overset{500}{2000} \times \frac{7}{\underset{1}{4}} = 3500$(원)입니다.

꼼꼼 돋다리

전체의 $\frac{1}{7}$에 해당하는 양을 구한 뒤 7배하여 전체를 구합니다.

Check Point

어떤 부분을 차지하는 양이 ★만큼이고, 이것이 전체의 $\frac{■}{▲}$를 의미할 때,

전체의 양은 ★÷▲×■ 또는 ★÷$\frac{■}{▲}$입니다.

확인 문제

율기는 가지고 있던 리본의 $\frac{3}{5}$을 잘라서 선물 상자를 포장했습니다. 사용한 리본의 길이가 300cm이면, 처음에 가지고 있던 리본의 길이는 몇 cm인지 구하시오.

1 율기가 가지고 있던 리본의 길이를 그림을 이용하여 나타낸 것입니다. ☐ 안에 알맞은 수를 써 넣으시오.

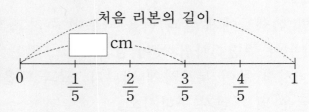

2 처음에 가지고 있던 리본의 길이의 $\frac{1}{5}$은 몇 cm입니까?

(   )

3 율기가 처음에 가지고 있던 리본의 길이는 몇 cm인지 구하시오.

(   )

5칸 중에 3칸이 300cm이므로 5칸 중에 1칸에 해당하는 길이를 구해 보세요.

① 동민이는 가지고 있던 수첩의 $\frac{4}{5}$를 사용했습니다. 사용한 쪽 수가 32쪽이면, 이 수첩은 몇 쪽인지 구하시오.

풀이

전체의 $\frac{1}{5}$은 얼마인지 생각해 봅니다.

답 _____

② 한초는 어머니께 받은 용돈의 $\frac{3}{8}$으로 과자를 샀습니다. 과자 값이 2700원이면, 어머니께 받은 용돈은 얼마인지 구하시오.

풀이

$2700 \div 3 \times 8$로 나타낼 수 있습니다.

답 _____

③ 웅이네 반 학생 전체의 $\frac{3}{10}$이 안경을 쓴 학생입니다. 안경을 쓰지 않은 학생이 21명이라면, 웅이네 반 학생은 몇 명인지 구하시오.

풀이

안경을 쓰지 않은 학생은 전체의 $\left(1-\frac{3}{10}\right)$입니다.

답 _____

4 어떤 수의 $\frac{5}{9}$는 60입니다. 어떤 수의 $\frac{3}{4}$은 얼마인지 구하시오.

> 먼저 어떤 수를 구해봅니다.

풀이

답 _____

5 규형이가 가지고 있던 구슬의 $\frac{2}{7}$를 친구에게 주고 남은 구슬은 40개입니다. 규형이가 처음에 가지고 있던 구슬의 $\frac{5}{8}$는 몇 개인지 구하시오.

> (규형이가 처음에 가지고 있던 구슬)
> =(남은 구슬 수)÷$\left(1-\frac{2}{7}\right)$

풀이

답 _____

6 어떤 수와 어떤 수의 $\frac{2}{5}$와의 합이 84일 때, 어떤 수는 얼마인지 구하시오.

> 전체와 부분이 나타내는 크기를 선분으로 그려 봅니다.

풀이

답 _____

1 제과점에 단팥빵, 곰보빵, 마늘빵이 있습니다. 단팥빵과 곰보빵이 합하여 140개이고, 단팥빵의 수가 곰보빵의 수의 $\frac{5}{9}$입니다. 마늘빵의 수가 곰보빵의 수보다 2개 더 많다면 마늘빵의 수는 몇 개인지 구하시오.

풀이

> 곰보빵의 수를 1이라 생각하고 선분으로 나타내어 보세요.

답 _____

2 ★과 ★의 $\frac{5}{11}$와의 합이 192일 때, ★의 $\frac{11}{12}$은 얼마인지 구하시오.

풀이

> ★의 값을 구하여
> ★×$\frac{11}{12}$을 구합니다.

답 _____

3 영수는 사탕과 초콜릿을 가지고 있습니다. 사탕의 수는 초콜릿의 수의 $\frac{3}{8}$이고, 개수의 차는 10개입니다. 영수가 가지고 있는 사탕과 초콜릿은 모두 몇 개인지 구하시오.

풀이

> 사탕과 초콜릿의 수를 각각 선분으로 나타내어 봅니다.
> 초콜릿의 수를 ⑧로 놓으면 사탕의 수는 ③에 해당합니다.

답 _____

4 장난감 공장에서 생산한 가 제품의 수는 나 제품의 수의 $\frac{7}{13}$ 이고, 개수의 차는 768개입니다. 가 제품과 나 제품은 모두 몇 개인지 구하시오.

답 _____

용희의 색 테이프 길이를 1로 놓으면 율기의 색 테이프의 길이는 $\frac{6}{7}$입니다.

5 율기와 용희가 색 테이프를 나누어 가졌습니다. 율기가 용희보다 3m를 짧게 가졌더니 율기는 용희가 가진 색 테이프 길이의 $\frac{6}{7}$를 갖게 되었습니다. 색 테이프 전체의 길이는 몇 m 인지 구하시오.

답 _____

전체 구슬 수의 $1-\left(\frac{3}{8}-\frac{2}{5}\right)=\frac{9}{40}$는 37개와 17개의 합과 같습니다.

6 파란 구슬과 빨간 구슬이 있습니다. 파란 구슬 수는 전체 구슬 수의 $\frac{3}{8}$보다 37개 더 많고, 빨간 구슬 수는 전체 구슬 수의 $\frac{2}{5}$보다 17개 더 많다고 합니다. 구슬은 모두 몇 개인지 구하시오.

답 _____

1 율기는 가지고 있던 돈의 $\frac{1}{3}$을 사용하고, 효근이는 가지고 있던 돈의 $\frac{1}{4}$을 사용하였더니 두 사람이 사용하고 남은 돈의 합이 8800원이 되었습니다. 율기가 가지고 있던 돈이 효근이가 가지고 있던 돈의 3배라면, 처음에 두 사람이 가지고 있던 돈은 각각 얼마인지 구하시오.

풀이▶

율기가 가지고 있던 돈을 3, 효근이가 가지고 있던 돈을 1이라 놓고 문제를 해결합니다.

답 _____

2 한별이네 집에는 사과와 참외가 있습니다. 사과의 수는 전체 과일 수의 $\frac{1}{2}$보다 9개 적고, 참외의 수는 전체 과일 수의 $\frac{5}{7}$보다 12개 적다고 합니다. 사과는 몇 개인지 구하시오.

풀이▶

과일 전체의 개수를 1이라 하고 선분을 그려서 사과 9개와 참외 12개가 선분 전체에서 차지하는 비율을 알아봅니다.

답 _____

3 어느 해 왕수학 경시대회에서 전체 응시자의 30%보다 6000명 많은 사람이 상을 못 받았고, 상을 받은 사람은 전체 응시자의 $\frac{1}{5}$보다 200명 적었다고 합니다. 상을 받은 사람은 몇 명인지 구하시오.

풀이▶

전체 응시자 수를 1로 놓으면 상을 못 받은 사람과 상을 받은 사람의 합은 전체 응시자 수가 됩니다.

답 _____

13 전체를 한쪽으로 가정하여 해결하기

탐구 문제

호랑이와 독수리를 합하여 9마리가 있습니다. 다리 수를 세어 보니 모두 24개였다면 호랑이와 독수리는 각각 몇 마리씩 있는지 구하시오.

풀이 우선 9마리 모두 독수리라고 가정하면 다리 수는 $2 \times 9 = 18$(개)입니다. 그러나 실제 다리 수는 24개이므로 $24 - 18 = 6$(개) 차이가 납니다. 독수리를 한 마리 줄이고 호랑이를 한 마리 늘릴 때마다 다리는 $4 - 2 = 2$(개)씩 늘어나므로 호랑이는 $6 \div 2 = 3$(마리)가 됩니다.

➡ 18개
  ⬇ 2개 증가
➡ 20개
  ⬇ 2개 증가
➡ 22개
  ⬇ 2개 증가
➡ 24개

꼼꼼 돋다리

9마리 모두 호랑이로 가정하여 식을 세우면 독수리의 수부터 구해집니다.
$(4 \times 9 - 24) \div (4 - 2) = 6$

즉, 모두 독수리라고 가정하였을 때, 호랑이의 수는 $\underset{\text{전체의 차}}{(24 - 2 \times 9)} \div \underset{\text{개별의 차}}{(4 - 2)} = 3$(마리)이고, 독수리는 $9 - 3 = 6$(마리)입니다.

Check Point

한쪽으로 가정한 값과 실제 값의 차를 개별의 차로 나누어 다른 쪽을 구합니다.

확인 문제

소와 오리를 합하여 20마리가 있습니다. 다리 수를 세어 보니 모두 56개였습니다. 소는 몇 마리인지 구하시오.

1 20마리 모두 오리라고 가정하면 다리는 몇 개입니까?

( )

2 가정한 다리 수와 실제 다리 수와의 차는 몇 개입니까?

( )

3 소는 몇 마리인지 식을 세워 답을 구하시오.

( )

20마리 모두 오리로 가정하여 식을 세우면 소의 수를, 모두 소로 가정하여 식을 세우면 오리의 수를 알 수 있지요!

1 오리와 돼지를 합하여 36마리가 있습니다. 다리 수를 세어 보니 모두 96개였습니다. 돼지는 몇 마리인지 구하시오.

풀이▶

36마리 모두를 오리로 가정하여 식을 세우면 돼지의 수를 알 수 있지요!

답 _____

2 양과 공작새를 합하여 23마리가 있습니다. 다리 수를 세어 보니 모두 72개였습니다. 공작새는 몇 마리인지 구하시오.

풀이▶

답 _____

3 500원짜리 아이스크림과 750원짜리 아이스크림을 합하여 17개 사고 11000원을 지불하였습니다. 아이스크림은 각각 몇 개씩 샀는지 구하시오.

풀이▶

750원짜리 아이스크림과 500원짜리 아이스크림의 개별 가격의 차는?
➡ (750-500)원

답 _____

동메달
이네...

4 한솔이는 100원짜리 동전과 500원짜리 동전을 합하여 40개를 가지고 있습니다. 총 금액이 9200원이라면 100원짜리 동전과 500원짜리 동전은 각각 몇 개씩인지 구하시오.

> 500원짜리와 100원짜리
> 의 개별 금액의 차는?
> ➡ (500-100)원

풀이 ▶

답 _____

5 250원짜리 귤과 400원짜리 사과를 합하여 24개를 사고 10000원짜리 지폐를 한 장 내었더니 2650원을 거슬러 주었습니다. 산 귤의 개수를 구하시오.

> 귤과 사과를 사는 데
> 든 실제 비용은?
> ➡ (10000-2650)원

풀이 ▶

답 _____

6 10000원을 가지고 가게에 가서 700원짜리 음료수와 950원짜리 음료수를 합하여 14개를 사려고 하였으나 1050원이 부족하였습니다. 950원짜리 음료수는 몇 개를 사려고 했는지 구하시오.

> 음료수를 사는 데 실제
> 필요한 비용은?
> ➡ (10000+1050)원

풀이 ▶

답 _____

1 귤이 25개씩 담겨 있는 작은 상자와 48개씩 담겨 있는 큰 상자를 합하여 12상자가 있습니다. 귤이 모두 392개일 때, 작은 상자에 담겨 있는 귤은 모두 몇 개인지 구하시오.

풀이

(작은 상자의 전체 귤 수)
=25×(작은 상자의 수)

답 _____

2 물건 A는 1200원, 물건 B는 1800원입니다. A와 B를 섞어서 45개를 사고 69000원을 지불하였습니다. 물건 B를 사는 데 든 비용은 얼마인지 구하시오.

풀이

(물건 B를 사는 데 드는 비용)
=1800×(물건 B의 개수)

답 _____

3 한초는 가지고 있던 3000원의 70%를 내고, 예슬이는 한초가 낸 돈의 $1\frac{2}{3}$배의 돈을 내어 200원짜리 공책과 350원짜리 공책을 합하여 25권을 샀습니다. 200원짜리 공책은 몇 권을 샀는지 구하시오.

풀이

(공책을 산 돈)
=(한초가 낸 돈)+(예슬이가 낸 돈)

답 _____

4 석기는 가지고 있던 돈 8000원의 $\frac{4}{5}$보다 1400원 적은 돈으로 400원짜리 바나나와 200원짜리 키위를 합하여 18개 샀습니다. 바나나를 사는 데 든 돈은 얼마인지 구하시오.

석기가 과일을 사는 데 사용한 돈이 얼마인지 알아야 하지요!

답 _____

5 규형이는 A지점을 출발하여 B지점을 거쳐 C지점까지 쉬지 않고 조깅을 하였습니다. A지점에서 B지점까지는 매분 180m의 빠르기로, B지점에서 C지점까지는 매분 160m의 빠르기로 조깅을 하였고 A지점에서 C지점까지의 거리는 3340m, 걸린 시간은 20분이었습니다. 규형이가 A지점에서 B지점까지 가는 데는 몇 분이 걸렸는지 구하시오.

20분 내내 매분 160m의 빠르기로 조깅을 한 것으로 가정하여 식을 세워 보세요.

답 _____

6 효근이는 매분 90m의 빠르기로 집을 출발하여 은행 앞까지 걷다가 은행 앞에서부터는 매분 72m의 빠르기로 가영이네 집까지 걸었습니다. 효근이네 집에서 가영이네 집까지의 거리는 738m이고, 걸린 시간은 9분이었습니다. 효근이가 은행에서 가영이네 집까지 걷는 데 걸린 시간은 몇 분인지 구하시오.

9분 내내 90m 빠르기로 걸은 것으로 가정하여 식을 세워 보세요.

답 _____

1 한솔이네는 9월 1일부터 1200원짜리 우유를 매일 한 통씩 배달시켜 먹고 있었는데 도중에 값이 올라 1320원씩에 먹었습니다. 9월 한 달 동안의 우유 값으로 37320원을 내었다면 우유 값이 오른 것은 9월 며칠인지 구하시오.(단, 9월은 30일까지입니다.)

(우유 값이 오른 날짜)
=(1200원씩에 먹은 날수)+1

답 _____

2 구형 기계와 신형 기계가 각각 1대씩 있습니다. 구형 기계는 1분당 20개의 제품을 생산하고, 신형 기계는 구형 기계의 1.5배의 생산력을 지니고 있습니다. 처음 몇 분 동안 구형 기계를 가동시켰다가 멈춘 뒤 곧 바로 신형 기계를 가동시켰습니다. 기계를 가동시킨지 40분 뒤 제품의 개수가 980개였다면, 구형 기계를 가동시킨 시간은 몇 분인지 구하시오.

신형 기계의 1분당 제품 생산 개수는?
➡ (20×1.5)개

답 _____

3 카세트 테이프에 3분 30초 분량의 노래와 4분 10초 분량의 노래를 합하여 20곡이 녹음되어 있습니다. 녹음되어 있는 시간이 총 75분 20초일 때, 3분 30초 분량의 노래와 4분 10초 분량의 노래 중 어느 쪽이 몇 곡 더 녹음되어 있는지 구하시오.

3분 30초 ➡ $3\frac{1}{2}$분

4분 10초 ➡ $4\frac{1}{6}$분

75분 20초 ➡ $75\frac{1}{3}$분

답 _____

14 전체의 차를 개별의 차로 나누어 해결하기

탐구문제

1개에 250원 하는 연필 몇 자루를 살 작정으로 돈을 꼭맞게 가지고 갔지만, 1개에 200원 하는 연필밖에 없어서 사려던 연필 수만큼 샀더니 400원이 남았습니다. 돈은 처음에 얼마를 가지고 갔는지 구하시오.

풀이

50원 남음   50원 남음 … 50원 남음 ➡ 총 400원 남음

꼼꼼 돌다리

연필 1자루를 살 때마다 250-200=50(원)씩 남는 것이 모여서 400원이 된 것이지요. 즉, 전체의 차이가 400원이 된 것입니다.

위의 그림에서 알 수 있듯이, 250원짜리 연필을 살 작정이었으나 200원짜리 연필을 샀으므로 한 자루당 250-200=50(원)씩 남는 셈입니다. 남은 전체 금액이 400원이므로 사려던 연필은 400÷50=8(자루)입니다. 따라서, 처음에 가지고 있던 돈은 250×8=2000(원)입니다. 즉, 전체의 차는 400원이고 개별의 차는 250-200=50(원)이므로, 사려던 연필은 400÷(250-200)=8(자루), 처음에 가지고 있던 돈은 250×8=2000(원)이 됩니다.

Check Point

(전체의 차)÷(개별의 차)=(개수)

확인문제

한별이가 지금 가지고 있는 돈으로는 500원짜리 물건 몇 개를 꼭맞게 살 수 있습니다. 이 돈으로 300원짜리 물건을 같은 개수만큼 살 경우 1800원이 남는다면, 한별이가 지금 가지고 있는 돈은 얼마인지 구하시오.

1 500원짜리 대신 300원짜리 물건을 산다면 1개당 얼마씩 남는 셈입니까?

(   )

2 사려던 물건의 개수를 식을 세워 구하시오.

(   )

3 한별이가 지금 가지고 있는 돈은 얼마인지 구하시오.

(   )

전체의 차는 1800원 개별의 차는 (500-300)원임을 이용해야지요!

1 돼지 저금통에 한솔이는 매달 4500원씩, 율기는 매달 3000원씩 동시에 저금을 시작하였습니다. 몇 달 뒤 저금한 돈을 비교해 보니 한솔이가 7500원 더 많았습니다. 두 사람은 몇 달 동안 저금을 하였는지 구하시오.

풀이▶

답 _____

> 금액의 전체의 차는?
> ➡ 7500원
> 금액의 개별의 차는?
> ➡ (4500-3000)원

2 몇 명의 학생들에게 500원짜리 기념품을 나누어 줄 때보다 680원짜리 기념품을 나누어 줄 때 6300원의 비용이 더 듭니다. 학생은 몇 명인지 구하시오.

풀이▶

답 _____

3 효근이의 어머니께서는 400원씩 하는 사과를 몇 개 살 돈을 가지고 과일 가게로 가셨지만, 350원씩 하는 사과밖에 없어서 사려던 개수만큼 사고 보니 1000원이 남았습니다. 효근이의 어머니께서 처음에 가지고 가신 돈은 얼마인지 구하시오.

풀이▶

답 _____

> 금액의 전체의 차는?
> ➡ 1000원
> 금액의 개별의 차는?
> ➡ (400-350)원

4

두 사람이 각각 사려던 과일의 개수를 먼저 구하세요.

석기는 200원짜리 귤을, 동민이는 450원짜리 배를 각각 같은 개수만큼 샀습니다. 동민이가 석기보다 2000원을 더 썼다면 석기는 귤을 사는 데 얼마를 썼는지 구하시오.

답 _____

5

하루에 35-28=7(쪽)씩 차이가 생기네요!

한별이와 예슬이는 똑같은 책을 같은 날 동시에 읽기 시작하였습니다. 한별이는 매일 28쪽씩, 예슬이는 매일 35쪽씩 읽었는데, 예슬이가 책을 35쪽씩 꼭맞게 다 읽었을 때 한솔이는 아직 56쪽을 덜 읽었습니다. 이 책은 몇 쪽짜리인지 구하시오.

답 _____

6

한 번 꺼낼 때마다 8-5=3(개)씩 차이가 나는군요~

주머니에 구슬이 몇 개인가 담겨 있습니다. 이 주머니에서 구슬을 한 번에 8개씩 몇 회를 꺼내면 주머니 속의 구슬은 모두 없어지고, 한 번에 5개씩 같은 횟수만큼 꺼내면 주머니 속의 구슬은 27개가 남습니다. 주머니에 담겨 있는 구슬은 몇 개인지 구하시오.

답 _____

1 같은 개수의 검은 바둑돌과 흰 바둑돌이 있었습니다. 이것을 한 사람당 검은 바둑돌 8개와 흰 바둑돌 12개씩을 주고 나니, 검은 바둑돌만 40개 남았습니다. 처음에 바둑돌은 모두 몇 개였는지 구하시오.

개별의 차는?
➡ (12-8)개
전체의 차는?
➡ 40개

답 _____

2 같은 개수의 10원짜리 동전과 100원짜리 동전이 있었습니다. 이것을 한 사람당 10원짜리 6개와 100원짜리 9개씩을 주고 나니, 10원짜리만 33개 남았습니다. 처음에 돈은 모두 얼마였는지 구하시오.

(전체 금액)
=(한 사람이 받은 금액)
×(돈을 받은 사람 수)
+(남은 돈의 금액)

풀이

답 _____

3 석기는 지금 800원짜리 아이스크림을 꼭 몇 개 살 돈을 가지고 있습니다. 이 돈으로 500원짜리 아이스크림을 산다면 800원짜리를 살 때보다 정확히 6개를 더 살 수 있습니다. 500원짜리 아이스크림을 몇 개 살 수 있는지 구하시오.

(800원짜리 아이스크림의 개수)=(전체의 차)÷(개별의 차)

답 _____

4 예슬이는 돈을 가지고 문방구점에 가서 300원짜리 공책을 몇 권 사려고 하였습니다. 그런데, 500원짜리 공책밖에 없어서 그것을 샀더니, 300원짜리 공책을 살 때보다 4권이 적었습니다. 300원짜리 공책을 몇 권 사려고 하였는지 구하시오.

(500원짜리 공책의 수)
=(전체의 차)÷(개별의 차)

답 _____

5 한솔이와 동생이 동시에 집에서 학교까지 가는 데 각각 1분에 80m, 1분에 60m의 빠르기로 걸었습니다. 한솔이가 학교에 도착하였을 때, 동생은 학교까지 300m의 거리가 남았습니다. 집에서 학교까지의 거리는 몇 m인지 구하시오.

개별의 차는?
➡ (80-60)m
전체의 차는? ➡ 300m

답 _____

6 동민이와 율기는 각각 1분에 120m, 1분에 90m의 빠르기로 같은 지점에서 동시에 출발하여 예슬이네 집으로 향하였습니다. 동민이가 예슬이네 집에 도착했을 때, 율기는 예슬이네 집까지 270m의 거리가 남았습니다. 이때까지 율기가 걸은 거리는 몇 m인지 구하시오.

(율기가 걸은 거리)
=90×(걸린 시간)

답 _____

1 450원짜리 물건 몇 개를 살만큼의 돈을 가지고 있습니다. 이 돈으로 300원짜리 물건을 산다면, 5개를 더 사고 150원이 남습니다. 가지고 있는 돈은 얼마인지 구하시오.

전체의 차는?
➡ (300×5+150)원

답 _____

2 500원짜리 사과를 몇 개 살 돈을 준비하였으나, 사과가 3개 더 필요해서 400원짜리 사과로 대신 사려고 보니 200원이 부족하였습니다. 준비한 돈은 얼마인지 구하시오.

전체의 차는?
➡ (400×3-200)원

답 _____

3 동민이네 집에서 할머니 댁까지 가는 데 1시간에 70km의 빠르기로 가는 것과 1시간에 60km의 빠르기로 가는 것과는 20분의 차이가 생깁니다. 동민이네 집에서 할머니 댁까지의 거리를 구하시오.

20분 ➡ $\frac{1}{3}$시간
전체의 차는?
➡ $\left(60 \times \frac{1}{3}\right)$km
개별의 차는?
➡ (70-60)km

답 _____

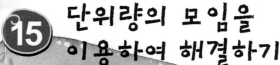

15 단위량의 모임을 이용하여 해결하기

탐구문제

3사람이 4일 동안 일을 하여 합계 60만 원의 임금을 받았습니다. 만일, 같은 일을 5사람이 일 주일 동안 한다면 얼마의 임금을 받는지 구하시오.

풀이1 한 사람이 하루 동안 하는 일의 양을 1로 하면, 3사람이 4일 동안 하는 일의 양은 $1 \times 3 \times 4 = 12$입니다. 그러므로 1사람이 1일 일하여 받는 임금은 $600000 \div 12 = 50000$(원)입니다. 만일, 5사람이 7일 동안 일을 한다면 그 일의 양은 $1 \times 5 \times 7 = 35$이므로, 받는 임금은 $50000 \times 35 = 1750000$(원)입니다.

풀이2 $600000 \times \dfrac{5 \times 7}{3 \times 4} = 1750000$(원)

꼼꼼 돋다리

3사람이 4일 동안 하는 일의 양은 1사람이 $3 \times 4 = 12$(일) 동안 하는 일의 양과 같습니다.

Check Point
한 사람이 하루동안 하는 일의 양을 단위량으로 하여 문제를 해결합니다.

확인문제

2사람이 5일 동안 일을 하여 합계 40만 원의 임금을 받았습니다. 만일, 같은 일을 3사람이 8일 동안 한다면 얼마의 임금을 받는지 구하시오.

1 1사람이 1일 일하는 일의 양을 1로 할 때, 2사람이 5일 일하는 일의 양은 얼마인지 구하시오.

(   )

2 1사람이 1일 일하여 받는 임금을 구하시오.

(   )

2사람이 5일 동안 일하는 양은 1사람이 $2 \times 5 = 10$(일) 동안 일하는 양과 같지요!

3 3사람이 8일 일하여 받는 임금을 구하시오.

(   )

1 5사람이 3일 동안 일을 하여 합계 525000원을 받았습니다. 만일, 같은 일을 6사람이 4일 동안 한다면 얼마의 임금을 받을 수 있는지 구하시오.

풀이▶

1사람이 1일 일하는 일의 양을 1로 하면, 5사람이 3일 일하는 일의 양은? → 1×5×3

답 _____

2 3사람이 6일 동안 일을 하여 72만 원을 받았습니다. 만일, 같은 일을 7사람이 2일 동안 한다면 얼마의 임금을 받을 수 있는지 구하시오.

▶

답 _____

3 4사람이 5시간 동안 일을 하여 16만 원을 받았습니다. 만일, 같은 일을 10사람이 8시간 동안 한다면 얼마의 임금을 받을 수 있는지 구하시오.

풀이▶

1사람이 1시간 동안 일하여 받는 임금은?
→ {160000÷(4×5)}원

답 _____

4 7사람이 10일 동안 일을 하여 전체 일의 $\frac{1}{2}$을 할 수 있습니다. 만일, 전체 일을 5사람이 한다면 며칠이 걸리는지 구하시오.

일 전체의 양을 (7×10×2)로 생각하세요.

답 _____

5 염소 4마리가 8일 동안 먹는 풀의 양은 96kg입니다. 135kg의 풀을 5일 동안 먹었다면 염소는 몇 마리인지 구하시오.

답 _____

6 3사람이 3시간 일을 하여 90000원의 임금을 받았습니다. 만일, 같은 일을 5사람이 하여 200000원을 받으려면 몇 시간 동안 일을 해야 하는지 구하시오.

1사람이 1시간 일하여 받는 임금을 먼저 구하세요.

답 _____

1 닭 20마리가 30일 먹을 수 있는 사료가 있습니다. 닭을 5마리 더 늘려 이 사료를 먹인다면 며칠 동안 먹일 수 있는지 구하시오.

풀이

사료 전체의 양을 (1×20×30)으로 생각하 세요.

답

2 돼지 30마리가 30일 동안 먹는 사료의 양은 지금 창고에 쌓아 놓은 사료 전체의 $\frac{5}{9}$에 해당합니다. 만일, 돼지 45마리가 창고에 쌓아 놓은 사료 전체를 먹는다면 며칠을 먹을 수 있는지 구하시오.

풀이

사료 전체의 양은? → $\left(30×30÷\frac{5}{9}\right)$로 생각하세요.

답

3 11명이 15일 동안 일을 하면 전체 일의 7할 5푼을 할 수 있습니다. 전체 일을 11일 동안 하려면 몇 명이 일을 하면 되는지 구하시오.

풀이

7할 5푼 ➡ 0.75

답

전체 일의 양은?
→ (12×8×4)로 생각!

4 12명이 8일 동안 일을 하면 전체 일의 25%를 할 수 있습니다. 전체 일을 6일 만에 끝내려면 몇 명이 더 필요한지 구하시오.

답 _____

(나머지 생산량)
=(전체 생산량)×$\left(1-\frac{2}{5}\right)$

5 10명이 15일 동안 생산한 생산량은 필요한 전체 생산량의 $\frac{2}{5}$ 입니다. 3명이 나머지를 모두 생산하려면 앞으로 며칠이 걸리는지 구하시오.

답 _____

(생산에 필요한 날 수)
=12일+(나머지 물건을
생산하는 날 수)

6 50명이 12일 동안 물건을 생산하여 필요한 전체 생산량의 $\frac{3}{8}$ 을 생산하였습니다. 쉬지 않고 이어서 나머지 물건을 40명이 생산한다고 할 때, 필요한 물건을 모두 생산하는 데는 처음부터 며칠이 걸리는지 구하시오.

답 _____

1 매일 15명씩 일을 하여 24일 걸리는 일이 있습니다. 그런데, 15명보다 적은 인원으로 일을 하였더니 12일이 더 걸렸습니다. 일한 사람 수를 구하시오.

풀이

12일이 더 걸렸다?
→ (24+12)일

답 _____

2 5명이 일을 하여 40일 만에 끝낼 수 있는 일이 있었습니다. 이 일을 처음부터 12일 동안은 5명이 일을 했지만 13일째부터는 2명이 더 일을 하였습니다. 이 일을 끝내는 데는 처음부터 며칠이 걸렸는지 구하시오.

풀이

일의 총량을 (5×40)으로 생각하세요!

답 _____

3 4명이 일을 하여 25일 만에 끝낼 수 있는 일이 있습니다. 이 일을 처음 4일 동안 몇 명이 일하고, 다음 6일 동안 10명이 일을 한다면, 나머지 일은 전체 일의 4%가 됩니다. 처음 4일 동안은 몇 명이 일을 해야 하는지 구하시오.

풀이

(한 일의 양)
=(일의 총량)-(나머지 일의 양)

답 _____

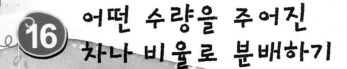

16 어떤 수량을 주어진 차나 비율로 분배하기

 탐구 문제

길이가 1m 59cm인 나무 막대를 세 도막으로 잘라 길이를 비교하였습니다. 그 중의 하나는 가장 짧은 것보다 12cm 길고, 가장 긴 것보다는 15cm 짧았습니다. 세 나무 도막의 길이를 각각 구하시오.

꼼꼼 돌다리

세 나무 도막의 길이의 합은 159cm이므로, A 도막보다 긴 길이에 해당하는 12×2+15=39(cm)를 뺀 뒤 3으로 나누면 A 도막의 길이를 구할 수 있습니다.

풀이 세 나무 도막을 각각 A, B, C로 하여 선분도를 그려 봅니다.

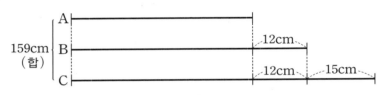

위의 선분도에서 A를 기준으로 생각하면 A의 길이는 {159−(12×2+15)}÷3=40(cm)입니다. 따라서, B의 길이는 40+12=52(cm), C의 길이는 52+15=67(cm)입니다.

Check Point

선분도를 이용하여 기준으로 정한 길이를 먼저 알아낸 뒤 나머지 길이를 구합니다.

확인 문제

한솔, 효근, 율기가 12200원의 돈을 나누어 가지려고 합니다. 효근이는 한솔이보다 1000원 많게, 율기는 효근이보다 1200원 많게 나누어 가진다면, 한솔, 효근, 율기는 각각 얼마씩 갖게 되는지 구하시오.

1 3사람이 갖는 돈을 선분으로 나타낼 때, □ 안에 알맞은 수를 써 넣으시오.

2 한솔이의 돈은 얼마인지 식을 세워 구하시오.

( )

3 효근이와 율기의 돈을 각각 구하시오.

( )

한솔이가 갖게 되는 돈을 기준으로 나머지 두 사람의 돈을 구할 수 있습니다

1 길이가 8m 60cm인 철사가 있습니다. 이 철사를 석기, 동민, 예슬이가 나누어 가지려고 합니다. 동민이는 석기보다 40cm 길게, 예슬이는 동민이보다 30cm 길게 가질 때, 동민이가 갖게 될 철사의 길이는 몇 m 몇 cm인지 구하시오.

석기를 기준으로 선분도를 그려 해결하세요!

답 _____

2 호두, 밤, 도토리가 모두 120개 있습니다. 호두는 밤보다 20개 적고, 도토리는 밤보다 20개 많습니다. 도토리는 몇 개인지 구하시오.

답 _____

3 바둑돌이 80개 있습니다. 이 중 검은 바둑돌은 흰 바둑돌 수의 4배입니다. 검은 바둑돌은 몇 개인지 구하시오.

흰 바둑돌 수가 1이면 검은 바둑돌 수는?
→ 4

답 _____

생각의 샘

4 구슬 33개를 동민이와 한초가 나누어 가졌습니다. 동민이가 가진 구슬 수가 한초가 가진 구슬 수의 2배보다 3개 많다면, 동민이의 구슬은 몇 개인지 구하시오.

한초의 구슬 수가 ①이 면 동민이의 구슬 수는? → ②+3개

답 _____

5 사탕 43개를 한별이와 율기가 나누어 가졌습니다. 한별이가 가진 사탕 수가 율기가 가진 사탕 수의 3배보다 9개 적었다면, 한별이의 사탕은 몇 개인지 구하시오.

한별이에게 사탕 9개만 더 있으면 율기의 사탕 수의 3배가 되지요!

답 _____

6 색종이 147장을 용희, 예슬, 가영이가 나누어 가졌습니다. 용희는 예슬이의 2배를, 가영이는 용희의 2배를 가졌다면, 가영이의 색종이는 몇 장인지 구하시오.

예슬이의 색종이 수를 ①로 할 때, 용희와 가영이의 색종이 수는 어떠한지 생각해보세요.

답 _____

1 1m 50cm 길이의 막대를 두 도막으로 잘랐더니 짧은 막대가 긴 막대 길이의 $\frac{3}{4}$보다 10cm 더 길었습니다. 긴 막대의 길이를 구하시오.

풀이▶

답 _____

긴 막대의 길이를 ④로 하면, 짧은 막대의 길이는?
→ ③+10cm

2 용희와 효근이가 가진 돈은 모두 7300원입니다. 용희의 돈이 효근이가 가지고 있는 돈의 $\frac{2}{5}$보다 300원 더 많다면, 용희의 돈은 얼마인지 구하시오.

풀이▶

답 _____

효근이의 돈을 ⑤로 하면, 용희의 돈은?
→ ②+300원

3 과일 가게에 귤, 사과, 배가 모두 258개 있습니다. 귤은 배의 개수의 2배보다 15개 더 많고, 사과는 배의 개수의 3배보다 3개 더 많습니다. 사과는 귤보다 몇 개 더 많은지 구하시오.

풀이▶

답 _____

배의 개수를 ①로 하여 선분도를 그려 봅니다.

4 나와 동생, 아버지의 키의 합은 4m 20cm입니다. 나의 키는 동생보다 40cm 더 크고, 아버지의 키는 동생 키의 2배보다 20cm 더 작습니다. 나의 키는 몇 cm인지 구하시오.

동생의 키를 ①로 하여 선분도를 그려 보세요!

풀이 ▶

답 _____

5 한별이는 연필을 석기보다 15자루 더 가지고 있으며, 한별이의 연필 수는 석기의 연필 수의 3배보다 3자루 더 많습니다. 한별이의 연필 수를 구하시오.

연필 수의 차가 15자루임에 주의하여 선분도를 그려 보세요!

풀이 ▶

답 _____

6 율기와 예슬이가 가지고 있는 돈의 차는 1000원이고, 율기는 예슬이가 가지고 있는 돈의 4배보다 100원 더 많이 가지고 있습니다. 율기가 가지고 있는 돈은 얼마인지 구하시오.

예슬이의 돈을 ①로 하면, 율기의 돈은?
→ ④+100원

풀이 ▶

답 _____

1 바둑돌 177개를 한초, 예슬, 효근이가 나누어 가졌습니다. 예슬이는 한초의 $\frac{2}{3}$보다 2개 많게, 효근이는 한초의 $1\frac{2}{3}$배보다 5개 많게 가졌다면, 효근이는 몇 개를 가졌는지 구하시오.

한초의 바둑돌 수를 ③으로 하면, 예슬이는 ②+2개, 효근이는 ⑤+5개입니다.

풀이▶

답 _____

2 빨간 풍선, 노란 풍선, 파란 풍선이 모두 104개 있습니다. 빨간 풍선의 개수는 노란 풍선과 파란 풍선의 개수의 합과 같으며, 노란 풍선은 파란 풍선의 개수의 $\frac{3}{5}$보다 4개 더 많습니다. 노란 풍선은 몇 개인지 구하시오.

노란 풍선과 파란 풍선의 개수의 합은?
→ (104÷2)개

풀이▶

답 _____

3 200원짜리 귤 몇 개와 400원짜리 사과 몇 개를 사고 5800원을 지불하였습니다. 사과의 개수가 귤의 개수의 2배보다 2개 더 많다면 사과는 몇 개 샀는지 구하시오.

귤의 개수를 ①로 하면
귤 전체의 값은?
→ 200×①= ②⓪⓪
사과 전체의 값은?
→ 400×②+400×2
= ⑧⓪⓪ +800원

풀이▶

답 _____

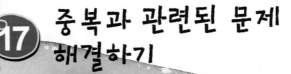

⑰ 중복과 관련된 문제 해결하기

탐구문제

예슬이네 반 학생 40명을 대상으로 귤과 사과를 좋아하는 학생을 조사하였더니, 귤을 좋아하는 학생은 28명, 사과를 좋아하는 학생이 20명이었습니다. 귤과 사과 둘 다 싫어하는 학생은 없다고 할 때, 귤과 사과를 둘 다 좋아하는 학생은 몇 명인지 구하시오.

풀이1 선분도를 이용하여 나타내면 다음과 같습니다.

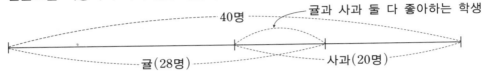

위의 선분도에서 볼 때, 귤과 사과를 둘 다 좋아하는 학생 수는 $28+20-40=8$(명)입니다.

풀이2 벤다이어그램을 이용하여 나타내면 다음과 같습니다.

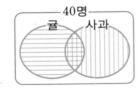

왼쪽 그림에서 ⬭ 부분은 28명, ▥ 부분은 20명, ⬭ 부분은 귤과 사과를 둘 다 좋아하는 학생이므로, ⬭ 부분의 학생 수는 $28+20-40=8$(명)입니다.

꼼꼼 돋다리

경우에 따라서는 벤다이어그램을 이용하여 문제를 해결하는 것이 편리할 때가 많아요~.

Check Point

선분도나 벤다이어그램을 이용하여 중복되어 있는 부분에 유의해 문제를 해결합니다.

확인문제

학생 50명을 대상으로 비행기와 고속열차를 타 본 학생을 조사하였더니, 비행기를 타 본 학생은 20명, 고속열차를 타 본 학생은 39명이었습니다. 둘 다 타 보지 않은 학생은 없다고 할 때, 둘 다 타 본 학생은 몇 명인지 구하시오.

1 비행기와 고속열차를 타 본 학생을 선분도로 나타내었습니다. □ 안에 알맞은 수를 써 넣으시오.

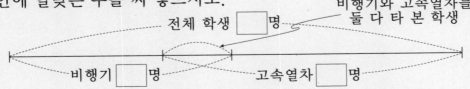

(둘 다 타 본 학생 수)
=(비행기를 타 본 학생 수)+(고속열차를 타 본 학생 수)-(전체 학생 수)

2 비행기와 고속열차를 둘 다 타 본 학생은 몇 명인지 식을 세워 구하시오.

(   )

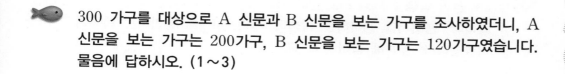

🐟 300 가구를 대상으로 A 신문과 B 신문을 보는 가구를 조사하였더니, A 신문을 보는 가구는 200가구, B 신문을 보는 가구는 120가구였습니다. 물음에 답하시오. (1~3)

1 A 신문과 B 신문 중 어느 것도 보지 않는 가구가 없다면, A 신문과 B 신문 둘 다 보는 가구는 몇 가구인지 구하시오.

풀이

(A와 B 둘 다 보는 가구)
=(A를 보는 가구)+(B를 보는 가구)−(전체 가구)

답 ＿＿＿＿＿＿＿＿＿＿

2 A 신문과 B 신문 중 어느 것도 보지 않는 가구가 30가구였다면, A 신문만 보는 가구는 몇 가구인지 구하시오.

풀이

(A만 보는 가구)
=(A 또는 B를 보는 가구)
−(B를 보는 가구)

답 ＿＿＿＿＿＿＿＿＿＿

3 A 신문과 B 신문 둘 다 보는 가구가 40가구였다면, A 신문과 B 신문 중 어느 것도 보지 않는 가구는 몇 가구인지 구하시오.

풀이

(A 또는 B를 보는 가구)
=(A를 보는 가구)+(B를 보는 가구)−(A와 B 둘 다 보는 가구)

답 ＿＿＿＿＿＿＿＿＿＿

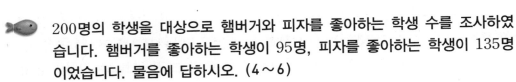

200명의 학생을 대상으로 햄버거와 피자를 좋아하는 학생 수를 조사하였습니다. 햄버거를 좋아하는 학생이 95명, 피자를 좋아하는 학생이 135명이었습니다. 물음에 답하시오. (4~6)

4 햄버거와 피자 어느 것도 좋아하지 않는 학생이 25명이었다면, 피자만 좋아하는 학생은 몇 명인지 구하시오.

답 _____

5 햄버거와 피자 둘 다 좋아하는 학생이 60명이었다면, 햄버거와 피자를 둘 다 싫어하는 학생은 몇 명인지 구하시오.

답 _____

6 햄버거와 피자 둘 다 좋아하는 학생이 50명이었다면, 햄버거만 좋아하거나 피자만 좋아하는 학생은 모두 몇 명인지 구하시오.

답 _____

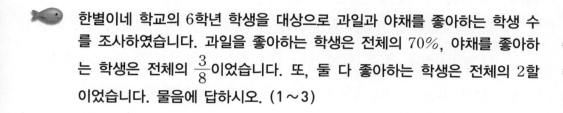

한별이네 학교의 6학년 학생을 대상으로 과일과 야채를 좋아하는 학생 수를 조사하였습니다. 과일을 좋아하는 학생은 전체의 70%, 야채를 좋아하는 학생은 전체의 $\frac{3}{8}$이었습니다. 또, 둘 다 좋아하는 학생은 전체의 2할이었습니다. 물음에 답하시오. (1~3)

1 6학년 전체 학생이 280명일 때, 과일 또는 야채를 좋아하는 학생은 몇 명인지 구하시오.

풀이 ▶

답 _____

2 과일과 야채 둘 다 싫어하는 학생이 30명이었다면, 조사한 학생은 모두 몇 명인지 구하시오.

풀이 ▶

답 _____

3 과일과 야채 둘 다 싫어하는 학생이 40명이었다면, 과일만 좋아하는 학생은 몇 명인지 구하시오.

풀이 ▶

답 _____

몇 명의 학생을 대상으로 A 놀이공원과 B 놀이공원에 가 본 학생 수를 조사하였습니다. A 놀이공원에 가 본 학생 수는 전체 학생 수의 $\frac{5}{9}$이고, B 놀이공원에 가 본 학생 수는 전체 학생 수의 $\frac{2}{3}$이며, A 놀이공원과 B 놀이공원 중 어느 곳도 가보지 못한 학생 수는 전체 학생 수의 $\frac{1}{9}$입니다. 물음에 답하시오. (4~6)

4 전체 학생 수가 270명일 때, A 놀이공원만 가 본 학생은 몇 명인지 구하시오.

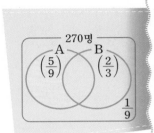

풀이

답 _____

5 A 놀이공원과 B 놀이공원을 모두 가 본 학생이 120명일 때, A 놀이공원과 B 놀이공원 중 어느 곳도 가보지 못한 학생은 몇 명인지 구하시오.

풀이

답 _____

6 B 놀이공원만 가 본 학생이 150명일 때, 전체 학생 수는 몇 명인지 구하시오.

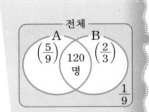

B 놀이공원만 가 본 학생이 차지하는 비율을 먼저 구하세요!

풀이

답 _____

🐟 100명의 학생을 대상으로 딸기와 포도를 좋아하는 학생 수를 조사하였습니다. 딸기를 좋아하는 학생은 55명, 포도를 좋아하는 학생은 전체 학생 수의 $\frac{7}{10}$이었습니다. 물음에 답하시오. (1~3)

1 딸기만 좋아하는 학생이 20명이라면, 포도만 좋아하는 학생은 몇 명인지 구하시오.

풀이 ▶

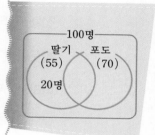

답 _____

2 딸기와 포도 둘 다 좋아하는 학생이 30명일 때, 딸기만 좋아하는 학생과 딸기와 포도 둘 다 싫어하는 학생 수의 차를 구하시오.

풀이 ▶

(딸기와 포도 둘 다 싫어하는 학생 수)
=100-(딸기 또는 포도를 좋아하는 학생 수)

답 _____

3 주어진 조건으로 볼 때, 딸기와 포도 둘 다 좋아하는 학생은 최소 몇 명부터 최대 몇 명까지인지 구하시오.

풀이 ▶

최소인 경우는?
➡ 둘 다 싫어하는 학생이 없을 때!
최대인 경우는?
➡ 둘 다 싫어하는 학생이 100-70=30(명)일 때!

답 _____

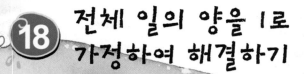
전체 일의 양을 1로 가정하여 해결하기

탐구 문제

어떤 일을 모두 끝내는 데 한별이 혼자 하면 8일, 율기 혼자 하면 24일 걸립니다. 두 사람이 힘을 합하여 이 일을 한다면 며칠 만에 끝낼 수 있는지 구하시오.

풀이 전체 일의 양을 1로 가정한다면 한별이가 하룻동안 하는 일의 양은 $1 \div 8 = \frac{1}{8}$이고, 율기가 하룻동안 하는 일의 양은 $1 \div 24 = \frac{1}{24}$입니다.

따라서, 두 사람이 힘을 합하여 하룻동안 하는 일의 양은 $\frac{1}{8} + \frac{1}{24} = \frac{1}{6}$이 되므로 전체 일을 끝내는 데 걸리는 날수는 $1 \div \frac{1}{6} = 6$(일)입니다.

별해 전체 일의 양을 8과 24의 최소공배수인 24로 생각할 때, 한별이가 하룻동안 하는 일의 양은 $24 \div 8 = 3$이고, 율기가 하룻동안 하는 일의 양은 $24 \div 24 = 1$입니다. 따라서, 두 사람이 힘을 합하여 전체 일을 끝내는 데 걸리는 날수는 $24 \div (3+1) = 6$(일)입니다.

꼼꼼 돌다리

두 사람이 힘을 합하여 하룻동안 하는 일의 양은 각자 하룻동안 하는 일의 양을 합한 것이지요!

Check Point
- (하룻동안 하는 일의 양)=1÷(일을 끝내는 데 걸리는 날수)
- (일을 끝내는 데 걸리는 날수)=1÷(하룻동안 하는 일의 양)

확인 문제

어떤 일을 모두 끝내는 데 어른 1명이 하면 6일, 어린이 1명이 하면 12일이 걸립니다. 이 일을 어른과 어린이가 함께 한다면 며칠 만에 끝낼 수 있는지 구하시오.

1 전체 일의 양을 1로 놓으면, 어른과 어린이가 각각 하룻동안 하는 일의 양은 얼마인지 구하시오.

( )

2 어른과 어린이가 하룻동안 하는 일의 양의 합은 얼마인지 구하시오.

( )

3 어른과 어린이가 함께 일을 하면 며칠 만에 끝낼 수 있는지 식을 세워 구하시오. ( )

어른과 어린이가 힘을 합하여 하룻동안 하는 일의 양을 묻는군요!

1 어떤 일을 모두 끝내는 데 석기가 혼자 하면 15시간, 동민이 가 혼자 하면 10시간이 걸립니다. 이 일을 두 사람이 힘을 합 하여 함께 한다면 몇 시간 만에 끝낼 수 있는지 구하시오.

풀이▶

전체 일의 양을 1로 가정 하여 생각하세요!

답 _____

2 어떤 일을 모두 끝내는 데 기계를 사용하면 5일, 사람이 직접 하면 20일이 걸립니다. 이 일을 기계와 사람이 함께 한다면 며 칠 만에 끝낼 수 있는지 구하시오.

풀이▶

답 _____

3 어떤 일을 모두 끝내는 데 A가 하면 7시간, B가 하면 A의 6배 의 시간이 걸립니다. 이 일을 A와 B가 함께 한다면 몇 시간 만 에 끝낼 수 있는지 구하시오.

풀이▶

B가 일을 끝내는 데 걸 리는 시간은?
➡ 7×6

답 _____

한별이와 예슬이가 하루 일한 양의 합은?
➡ 전체의 $\frac{1}{8}$

4 한별이와 예슬이가 힘을 합하여 어떤 일을 끝내는 데 8일이 걸립니다. 한별이가 하룻동안 하는 일의 양이 전체 일의 양의 $\frac{1}{12}$일 때, 예슬이가 하룻동안 하는 일의 양은 전체 일의 얼마인지 구하시오.

답 _____

(율기가 6일 일하는 일의 양)=(율기가 1일 일하는 일의 양)×6

5 효근이와 율기가 힘을 합하여 어떤 일을 끝내는 데 12일이 걸립니다. 효근이가 하룻동안 하는 일의 양이 전체 일의 양의 $\frac{1}{18}$일 때, 율기가 6일 동안 하는 일의 양은 전체 일의 얼마인지 구하시오.

답 _____

(일을 끝내는 데 걸리는 날수)=1÷(각각 하룻동안 일하는 양의 합)

6 어떤 일을 모두 끝내는 데 갑 혼자서 하면 6일, 을 혼자서 하면 20일, 병 혼자서 하면 30일이 걸립니다. 이 일을 갑, 을, 병 3사람이 힘을 합하여 한다면 며칠 만에 끝낼 수 있는지 구하시오.

답 _____

1 물탱크에 물을 가득 채우는 데 A 수도관으로는 25분, B 수도관으로는 50분이 걸립니다. A와 B 수도관을 함께 사용하여 물탱크에 물을 가득 채우면 몇 분 몇 초가 걸리는지 구하시오.

풀이▶

물탱크에 가득 찬 물의 양을 1로 가정하세요!

답 _____

2 한솔이와 규형이 두 사람이 함께 일을 하면 15일 걸리는 일이 있습니다. 한솔이 혼자서 8일 동안 일할 때 전체 일의 $\frac{1}{5}$ 을 할 수 있다면, 규형이가 하루 일하는 양은 전체 일의 얼마인지 구하시오.

풀이▶

한솔이 혼자 전체 일을 하는데 걸리는 날수는?
➡ 8×5

답 _____

3 어떤 일을 하는데 가영이는 8시간, 예슬이는 10시간이 걸립니다. 이 일을 가영이와 예슬이가 힘을 합하여 4시간 동안 한다면, 나머지 일은 전체 일의 몇 %인지 구하시오.

풀이▶

둘이 힘을 합해 1시간 일하는 양은?
➡ $\frac{1}{8} + \frac{1}{10}$

답 _____

4 한초가 하면 18일, 석기가 하면 24일 걸려 끝낼 수 있는 일이 있습니다. 이 일을 한초와 석기가 힘을 합하여 9일 동안 한다면, 나머지 일은 전체 일의 얼마인지 할푼리로 답하시오.

풀이

답 _____

1할 ➡ 0.1 = $\frac{1}{10}$

1푼 ➡ 0.01 = $\frac{1}{100}$

1리 ➡ 0.001 = $\frac{1}{1000}$

5 어떤 일을 하는데 율기는 20일, 한별이는 12일 걸립니다. 두 사람이 함께 일을 시작했지만 5일간 일을 한 뒤, 율기는 사정이 생겨 일을 못하고 나머지 일을 한별이 혼자 하여 끝냈습니다. 한별이 혼자 일한 날수를 구하시오.

풀이

답 _____

둘이 5일간 일한 양은?

➡ ($\frac{1}{20}$ + $\frac{1}{12}$)×5

6 소 1마리가 먹으면 9일, 양 1마리가 먹으면 15일 동안 먹을 수 있는 사료가 있습니다. 이 사료를 3일 동안 소와 양에게 먹인 뒤, 소에게는 사료 대신 건초를 먹이고 나머지 사료를 양에게만 먹였습니다. 양에게만 사료를 먹인 날수를 구하시오.

풀이

답 _____

두 동물이 3일 동안 먹은 사료의 양은?

➡ ($\frac{1}{9}$ + $\frac{1}{15}$)×3

1 물탱크에 물을 가득 채우는 데 A 수도관으로는 6시간, B 수도관으로는 14시간이 걸립니다. A 수도관 3개와 B 수도관 2개를 함께 사용하여 물을 넣는다면, 물탱크에 물을 가득 채우는 데 몇 시간 몇 분 몇 초가 걸리는지 구하시오.

풀이 ▶

(수도관 ☐개로 1시간 넣는 물의 양)=(수도관 1개로 1시간 넣는 물의 양)×☐

답 _____

2 석기와 한초 두 사람이 함께 일을 하면 15일 걸려 끝낼 수 있는 일이 있습니다. 석기 혼자서 4일 동안 일을 하여 전체 일의 $\frac{1}{5}$을 한 뒤, 나머지 일을 한초 혼자 하여 끝냈습니다. 한초 혼자 일한 날수를 구하시오.

풀이 ▶

나머지 일은 전체 일의 $\frac{4}{5}$입니다.

답 _____

3 동민이가 하면 12일, 예슬이가 하면 15일 만에 끝낼 수 있는 일이 있습니다. 이 일을 처음 며칠 동안은 동민이 혼자 하다가 도중에 예슬이가 일을 도와 시작한지 8일 만에 일을 끝냈습니다. 예슬이는 며칠 동안 일을 도왔는지 구하시오.

풀이 ▶

동민이가 8일 동안 일을 한 점에 주의하세요! 동민이가 한 일의 양은? ➡ $\frac{1}{12}×8$

답 _____

1 두 수의 평균이 300이고, 큰 수와 작은 수의 차는 60입니다. 큰 수와 작은 수는 각각 얼마인지 구하시오.

풀이 ▶

답 _____

2 가영이는 첫째 번 가게에서 가지고 있던 돈의 $\frac{1}{4}$을 쓰고, 둘째 번 가게에서 남은 돈의 $\frac{2}{3}$를 썼더니 1000원이 남았습니다. 가영이가 처음에 가지고 있던 돈은 얼마인지 구하시오.

풀이 ▶

답 _____

3 연필 4자루와 지우개 3개의 값은 1300원이고, 같은 연필 4자루와 지우개 1개의 값은 1100원입니다. 연필 1자루와 지우개 1개의 값을 각각 구하시오.

풀이 ▶

답 _____

4 다음 그림은 쌓기나무를 가로와 세로에 5개씩 빈틈없이 놓아 정사각형 모양을 만든 것입니다. 같은 방법으로 가로와 세로에 쌓기나무를 20개씩 빈틈없이 늘어놓아 정사각형 모양을 만들면, 둘레에 놓인 쌓기나무는 몇 개인지 구하시오.

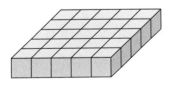

풀이 ▶

답 _____

5 길이가 2.7km인 다리의 양쪽에 45m 간격으로 가로등을 세우려고 합니다. 가로등은 모두 몇 개가 필요한지 구하시오. (단, 다리의 처음과 끝에도 가로등을 세웁니다.)

답 _____

6 $\frac{5}{13}$를 소수로 나타낼 때, 소수점 아래 221째 자리의 숫자는 무엇인지 구하시오.

답 _____

7 3을 두 번 곱하면 9, 세 번 곱하면 27입니다. 3을 500번 곱하면 일의 자리의 숫자는 얼마인지 구하시오.

답 _____

8 용희네 학교와 웅이네 학교의 총 학생 수와 운동장의 넓이를 각각 조사하여 나타낸 표입니다. 한 학생당 사용할 수 있는 운동장의 넓이가 더 넓은 학교를 쓰시오.

	총 학생 수(명)	운동장의 넓이(m^2)
용희네 학교	684	8892
웅이네 학교	592	8880

답 _____

9 5시간에 375km를 달리는 자동차가 있습니다. 이 자동차가 같은 빠르기로 7시간 24분 동안 달렸다면, 몇 km를 달린 셈인지 구하시오.

풀이▶

답 _____

10 동물원에 있는 침팬지의 올해 나이는 40살이고, 곰의 나이는 18살입니다. 침팬지의 나이가 곰의 나이의 3배가 되었던 것은 올해부터 몇 년 전인지 구하시오.

풀이▶

답 _____

11 동민이와 율기는 각각 1000원, 1500원을 갖고 있었습니다. 율기가 동민이에게 얼마를 주고 나니 오히려 동민이가 율기보다 200원이 더 많았습니다. 율기는 동민이에게 얼마를 준 것인지 구하시오.

풀이▶

답 _____

12 길이 110m인 가 열차는 매초 30m의 빠르기로, 길이 120m인 나 열차는 매초 40m의 빠르기로 달립니다. 두 열차가 길이 1600m인 철교를 완전히 건너는 데 걸린 시간은 어느 열차가 몇 초 더 빠른지 구하시오.

풀이▶

답 _____

13 초콜릿을 몇 명에게 나누어 주려고 합니다. 한 사람에게 4개씩 나누어 주면 초콜릿은 6개 모자라고, 8개 씩 나누어 주면 34개 모자라게 됩니다. 초콜릿은 몇 개인지 구하시오.

풀이 ▶

답 _____

14 딱지를 몇 사람에게 나누어 주려고 합니다. 한 사람당 25장씩 주면 28장이 남고, 4장씩 더 주면 16장이 부족하게 됩니다. 딱지는 몇 장인지 구하시오.

풀이 ▶

답 _____

15 규형이는 가지고 있던 구슬의 $\frac{3}{4}$을 친구에게 주었습니다. 주고 남은 구슬이 25개라면, 처음에 가지고 있던 구슬의 $\frac{2}{5}$는 몇 개인지 구하시오.

풀이 ▶

답 _____

16 한솔이는 100원짜리 동전과 500원짜리 동전을 합하여 50개를 가지고 있습니다. 총 금액이 11000원이라면 100원짜리 동전과 500원짜리 동전은 각각 몇 개씩인지 구하시오.

풀이 ▶

답 _____

17 영수가 지금 700원짜리 아이스크림을 꼭 몇 개 살 돈을 가지고 있습니다. 이 돈으로 550원짜리 아이스크림을 산다면 700원짜리를 살 때보다 정확히 9개를 더 살 수 있습니다. 550원짜리 아이스크림을 몇 개 살 수 있는지 구하시오.

풀이

답 _____

18 10명이 일 주일 동안 일을 하면 전체 일의 20%를 할 수 있습니다. 전체 일을 5일 만에 끝내려면 몇 명이 더 필요한지 구하시오.

풀이

답 _____

🐟 400 가구를 대상으로 A 신문과 B 신문을 보는 가구를 조사하였더니, A 신문을 보는 가구는 300가구, B 신문을 보는 가구는 140가구였습니다. 물음에 답하시오. (19 ~ 20)

19 A 신문과 B 신문 중 어느 하나라도 보지 않는 가구가 없다면, A 신문과 B 신문 둘다 보는 가구는 몇 가구인지 구하시오.

풀이

답 _____

20 A 신문과 B 신문 중 어느 것도 보지 않는 가구가 50가구였다면, A 신문만 보는 가구는 몇 가구인지 구하시오.

풀이

답 _____

1 무게가 같은 빵 15개가 들어 있는 상자 1개의 무게는 4kg 500g입니다. 빵 15개의 무게는 빈 상자 1개의 무게보다 3kg 더 무겁습니다. 빵 1개의 무게는 몇 g인지 구하시오.

풀이 ▶

답 _____

2 규형이는 몇 개의 구슬을 가지고 있었습니다. 동생에게 8개를 주고, 형에게 6개를 얻은 뒤, 남은 구슬을 동민이와 똑같이 나누어 가졌더니 24개를 갖게 되었습니다. 규형이가 처음에 가지고 있던 구슬은 몇 개인지 구하시오.

풀이 ▶

답 _____

3 사과 3개와 귤 2개의 무게는 1290g이고, 같은 사과 6개와 귤 5개의 무게는 2700g입니다. 사과 1개와 귤 1개의 무게는 각각 몇 g인지 구하시오.

풀이 ▶

답 _____

4 구슬을 빈틈없이 늘어놓아 정사각형을 만들었습니다. 둘레에 놓인 구슬의 개수가 204개라면, 가장 바깥쪽의 한 변에 놓인 구슬의 개수는 몇 개인지 구하시오.

풀이 ▶

답 _____

5 세 변의 길이가 각각 96m, 144m, 128m인 삼각형 모양의 땅의 둘레에 같은 간격으로 은행나무를 심으려고 합니다. 세 꼭지점에는 반드시 나무를 심기로 하고, 가능한 간격을 크게 하여 심는다면, 은행나무는 모두 몇 그루가 필요한지 구하시오.

풀이 ▶

답 _____

6 30÷7을 소수로 나타내려고 합니다. 소수점 아래 첫째 자리부터 189째 자리까지의 숫자의 합을 구하시오.

풀이▶

답 _____

7 올해 할머니의 연세는 60세이고, 두 손녀의 나이는 각각 12살, 8살입니다. 두 손녀의 나이의 합이 할머니의 연세와 같아지는 것은 몇 년 후인지 구하시오.

풀이▶

답 _____

8 기름탱크 가와 나에 각각 18.2t, 28.4t의 기름이 들어 있었습니다. 기름탱크 나에서 가로 매분 100kg씩 몇 분 동안 기름을 옮겨 넣었더니 두 기름탱크의 기름의 양이 같아졌습니다. 몇 분 만에 두 기름탱크의 기름의 양이 같아졌는지 구하시오.

풀이▶

답 _____

9 물탱크 가와 나에 각각 162.4L, 346.8L의 물이 들어 있었습니다. 물탱크 가에서 나로 몇 L를 옮겨 넣었더니 나의 물이 가의 물의 3배가 되었습니다. 물탱크 가에서 나로 몇 L를 옮겨 넣었는지 구하시오.

풀이▶

답 _____

10 길이가 120m인 고속열차와 길이가 140m인 보통열차가 서로 마주 향해 달리고 있습니다. 이 두 열차는 만나는 순간부터 떨어지는 순간까지 2초가 걸렸습니다. 고속열차가 1초에 85m의 빠르기로 달린다면 보통열차는 1초에 몇 m의 빠르기로 달리는지 구하시오.

풀이▶

답 _____

11 동물원에 있는 원숭이에게 사과를 매일 5개씩 주면 마지막 날에는 3개 밖에 줄 수 없고, 같은 날수만큼 매일 8개씩 주면 47개가 부족하다고 합니다. 가지고 있는 사과는 몇 개인지 구하시오.

풀이▶

답 _____

12 장난감 공장에서 생산한 가 제품과 나 제품이 있습니다. 오늘 생산한 가 제품의 수는 나 제품의 수의 $\frac{3}{8}$ 이고, 개수의 차는 750개입니다. 이 날 생산한 가 제품과 나 제품은 모두 몇 개인지 구하시오.

풀이▶

답 _____

13 물건 A는 1500원, 물건 B는 2400원입니다. A와 B를 섞어서 40개를 사고 76200원을 지불하였습니다. 물건 B를 사는 데 든 비용은 얼마인지 구하시오.

풀이▶

답 _____

14 석기는 250원짜리 귤을, 동민이는 600원짜리 배를 각각 같은 개수만큼 샀습니다. 동민이가 석기보다 2450원을 더 썼다면 석기는 귤을 사는 데 얼마를 썼는지 구하시오.

풀이▶

답 _____

15 6사람이 4일 동안 일을 하여 120만원을 받았습니다. 만일, 같은 일은 9사람이 3일 동안 한다면 얼마의 임금을 받을 수 있는지 구하시오.

풀이▶

답 _____

16 파란색 구슬과 빨간색 구슬을 합하여 100개가 있습니다. 파란색 구슬은 빨간색 구슬 수의 3배입니다. 파란색 구슬은 몇 개인지 구하시오.

풀이

답 _____

17 사탕을 웅이는 규형이보다 20개 더 가지고 있고, 웅이의 사탕 수는 규형이의 사탕 수의 3배보다 10개가 더 많습니다. 웅이의 사탕 수를 구하시오.

풀이

답 _____

18 어떤 일을 모두 끝내는 데 A가 하면 8시간, B가 하면 A의 7배의 시간이 걸립니다. 이 일을 A와 B가 함께 한다면 몇 시간 만에 끝낼 수 있는지 구하시오.

풀이

답 _____

19 한별이와 예슬이가 힘을 합하여 어떤 일을 끝내는 데 6일이 걸립니다. 한별이가 하룻동안 하는 일의 양이 전체 일의 양의 $\frac{1}{10}$일 때, 예슬이가 하룻동안 하는 일의 양은 전체 일의 얼마인지 기약분수로 나타내시오.

풀이

답 _____

20 한초가 하면 20일, 석기가 하면 40일 걸려 끝낼 수 있는 일이 있습니다. 이 일을 한초와 석기가 힘을 합하여 10일 동안 한다면, 나머지 일은 전체 일의 얼마인지 할푼리로 나타내시오.

풀이

답 _____

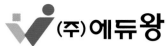

6학년이 꼭 ✓ 알아야 한

수학 문장제

www.eduwang.com

정답과 풀이

정답과 풀이

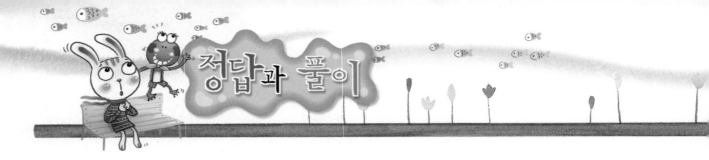

1 합과 차를 이용하여 해결하기

확인문제 p.4

1 36, 2   **2** 19자루

3 17자루

2 $(36+2) \div 2 = 19$(자루)

3 $36-19 = 17$(자루)

동메달 따기 p.5~6

1 85명   **2** 42.5kg

3 140cm   **4** 1200g

5 35kg

6 큰 수 : 2000, 작은 수 : 1600

1 한별이네 학교의 6학년 남학생과 여학생의 수를 각각 선분으로 나타내어 보면

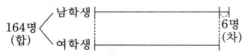

따라서, 한별이네 학교의 6학년 남학생은
$(164+6) \div 2 = 85$(명)입니다.

2 효근이의 몸무게와 가방의 무게를 각각 선분으로 나타내어 보면

따라서, 효근이의 몸무게는
$(45+40) \div 2 = 42.5$(kg)입니다.

3 누나와 동생의 키를 각각 선분으로 나타내어 보면

따라서, 동생의 키는 $(290-10) \div 2 = 140$(cm)입니다.

4 포도 주스의 무게와 빈 병의 무게를 각각 선분으로 나타내어 보면

따라서, 포도 주스만의 무게는
$(2000+400) \div 2 = 1200$(g)입니다.

5 몸무게의 평균이 36kg이므로 두 사람의 몸무게의 합은 $36 \times 2 = 72$(kg)입니다. 규형이와 가영이의 몸무게를 각각 선분으로 나타내어 보면

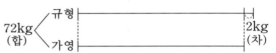

따라서, 가영이의 몸무게는
$(72-2) \div 2 = 35$(kg)입니다.

6 두 수의 평균이 1800이므로 두 수의 합은 $1800 \times 2 = 3600$입니다. 두 수를 각각 선분으로 나타내어 보면

따라서, 큰 수는 $(3600+400) \div 2 = 2000$,
작은 수는 $3600-2000 = 1600$입니다.

은메달 따기 p.7~8

1 5.25   **2** 15g

3 200g

4 큰 수 : 270, 작은 수 : 230

5 8000원   **6** 2.4km

1 두 수의 평균이 2.5이므로 두 수의 합은 $2.5 \times 2 = 5$입니다. 두 수를 각각 선분으로 나타내어 보면

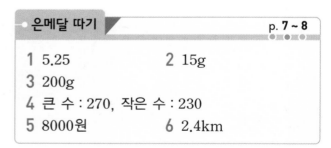

따라서, 큰 수는 $(5+2) \div 2 = 3.5$, 작은 수는
$5-3.5 = 1.5$이므로 두 수의 곱은
$3.5 \times 1.5 = 5.25$입니다.

2 구슬 50개의 무게와 빈 주머니 1개의 무게를 각각 선분으로 나타내어 보면

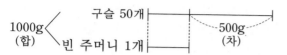

따라서, 구슬 50개의 무게는
$(1000+500) \div 2 = 750(g)$이므로 구슬 1개의 무게는 $750 \div 50 = 15(g)$입니다.

3 빵 40개가 들어 있는 상자 1개의 무게는
$18 \div 2 = 9(kg)$입니다. 빵 40개의 무게와 빈 상자 1개의 무게를 각각 선분으로 나타내어 보면

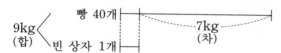

따라서, 빵 40개의 무게는
$(9+7) \div 2 = 8(kg)$ ➡ 8000g이므로 빵 1개의 무게는 $8000 \div 40 = 200(g)$입니다.

4 (두 수의 합) − (두 수의 차) = 460이므로
(두 수의 차) = $500 - 460 = 40$입니다. 두 수를 각각 선분으로 나타내어 보면

따라서, 큰 수는 $(500+40) \div 2 = 270$,
작은 수는 $500 - 270 = 230$입니다.

5 석기와 한초가 가지고 있는 돈의 차는
$13000 - 10000 = 3000(원)$입니다. 석기와 한초가 가지고 있는 돈을 각각 선분으로 나타내어 보면

따라서, 한초가 가지고 있는 돈은
$(13000+3000) \div 2 = 8000(원)$입니다.

6 두 사람의 빠르기의 합은 1시간당
$25 \div 5 = 5(km)$이고, 빠르기의 차는 1시간당 0.2km이므로 한별이와 가영이의 빠르기를 각각 선분으로 나타내어 보면

따라서, 한별이는 1시간에
$(5-0.2) \div 2 = 2.4(km)$를 갑니다.

금메달 따기   p. 9

1 A : 10, B : 15, C : 20
2 30°
3 39세

1 B와 C를 각각 선분으로 나타내어 보면

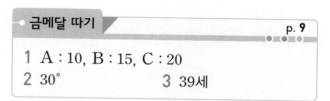

B는 $(35-5) \div 2 = 15$, C는 $35-15 = 20$입니다. 따라서, A는 $25-15 = 10$입니다.

2 (각 가)+(각 나)+(각 다) = 180°입니다.
(각 가)+(각 나)와 (각 다)의 크기를 각각 선분으로 나타내어 보면

따라서, (각 가)+(각 나) = $(180° - 60°) \div 2 = 60°$이므로 (각 가) = $60° \div 2 = 30°$입니다.

3 아버지와 어머니의 연세의 합과 딸의 나이를 각각 선분으로 나타내어 보면

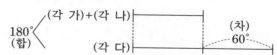

따라서, 아버지와 어머니의 연세의 합은
$(90+60) \div 2 = 75(살)$입니다.
아버지와 어머니의 연세를 각각 선분으로 나타내어 보면

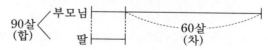

따라서, 아버지의 연세는 $(75+3) \div 2 = 39(세)$입니다.

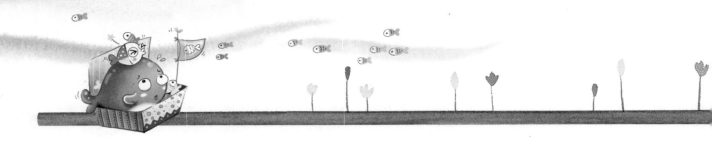

2 거꾸로 생각하여 해결하기

확인문제   p.10

1 4, 1, 3200   **2** 4000원

3 5000원

2 $3200 \div 4 \times 5 = 4000$(원)

3 $4000 \div 4 \times 5 = 5000$(원)

● **동메달 따기**   p. 11 ~ 12

1 40장   **2** 1200원

3 15   **4** 580개

5 30개   **6** 55개

1 문제를 그림으로 나타내면

$$\boxed{㉮} \; \overset{-15}{\underset{+15}{\rightleftarrows}} \; \boxed{㉯} \; \overset{+20}{\underset{-20}{\rightleftarrows}} \; \boxed{45}$$

㉯에 들어갈 수는 $45 - 20 = 25$,
㉮에 들어갈 수는 $25 + 15 = 40$입니다.
따라서, 한초가 처음에 가지고 있던 딱지는 40장
입니다.

2 문제를 그림으로 나타내면

$$\boxed{㉮} \; \overset{+4500}{\underset{-4500}{\rightleftarrows}} \; \boxed{㉯} \; \overset{+5000}{\underset{-5000}{\rightleftarrows}} \; \boxed{㉰} \; \overset{-3000}{\underset{+3000}{\rightleftarrows}} \; \boxed{7700}$$

㉰에 들어갈 수는 $7700 + 3000 = 10700$,
㉯에 들어갈 수는 $10700 - 5000 = 5700$,
㉮에 들어갈 수는 $5700 - 4500 = 1200$입니다.
따라서, 처음 저금통에 들어 있던 돈은 1200원입
니다.

3 문제를 그림으로 나타내면

$$\boxed{㉮} \; \overset{\times 14}{\underset{\div 14}{\rightleftarrows}} \; \boxed{㉯} \; \overset{-27}{\underset{+27}{\rightleftarrows}} \; \boxed{㉰} \; \overset{\div 3}{\underset{\times 3}{\rightleftarrows}} \; \boxed{㉱} \; \overset{+4}{\underset{-4}{\rightleftarrows}} \; \boxed{65}$$

㉱에 들어갈 수는 $65 - 4 = 61$,
㉰에 들어갈 수는 $61 \times 3 = 183$,
㉯에 들어갈 수는 $183 + 27 = 210$,

㉮에 들어갈 수는 $210 \div 14 = 15$입니다.
따라서, 어떤 수는 15입니다.

4 가방 25개를 만드는 데 장식용 구슬은
$15 \times 25 = 375$(개), 머리핀 40개를 만드는 데
장식용 구슬은 $4 \times 40 = 160$(개)가 사용됩니다.
문제를 그림으로 나타내면

$$\boxed{㉮} \; \overset{-375}{\underset{+375}{\rightleftarrows}} \; \boxed{㉯} \; \overset{-160}{\underset{+160}{\rightleftarrows}} \; \boxed{㉰} \; \overset{+90}{\underset{-90}{\rightleftarrows}} \; \boxed{135}$$

㉰에 들어갈 수는 $135 - 90 = 45$,
㉯에 들어갈 수는 $45 + 160 = 205$,
㉮에 들어갈 수는 $205 + 375 = 580$입니다.
따라서, 처음에 있던 장식용 구슬은 580개입니다.

5 문제를 그림으로 나타내면

$$\boxed{㉮} \; \overset{-4}{\underset{+4}{\rightleftarrows}} \; \boxed{㉯} \; \overset{+10}{\underset{-10}{\rightleftarrows}} \; \boxed{㉰} \; \overset{\div 2}{\underset{\times 2}{\rightleftarrows}} \; \boxed{18}$$

㉰에 들어갈 수는 $18 \times 2 = 36$,
㉯에 들어갈 수는 $36 - 10 = 26$,
㉮에 들어갈 수는 $26 + 4 = 30$입니다.
따라서, 규형이가 처음에 가지고 있던 구슬은 30
개입니다.

6 문제를 그림으로 나타내면

$$\boxed{㉮} \; \overset{-12}{\underset{+12}{\rightleftarrows}} \; \boxed{㉯} \; \overset{-10}{\underset{+10}{\rightleftarrows}} \; \boxed{㉰} \; \overset{\div 3}{\underset{\times 3}{\rightleftarrows}} \; \boxed{11}$$

㉰에 들어갈 수는 $11 \times 3 = 33$,
㉯에 들어갈 수는 $33 + 10 = 43$,
㉮에 들어갈 수는 $43 + 12 = 55$입니다.
따라서, 웅이가 처음에 가지고 있던 사탕은 55개
입니다.

● **은메달 따기**   p. 13 ~ 14

1 1600원   **2** 500m

3 30000원   **4** 20m²

5 25000원   **6** 6000원

1 선분을 이용하여 거꾸로 해결합니다.

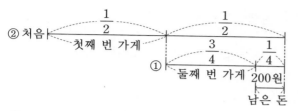

① : 200×4=800(원)

② : 800×2=1600(원)

따라서, 가영이가 처음에 가지고 있던 돈은
200×4×2=1600(원)입니다.

2 선분을 이용하여 거꾸로 해결합니다.

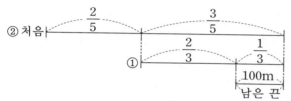

① : 100×3=300(m)

② : 300÷3×5=500(m)

따라서, 한초가 처음에 가지고 있던 끈의 길이는
(100×3)÷3×5=500(m)입니다.

3 선분을 이용하여 거꾸로 해결합니다.

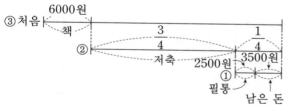

① : 3500+2500=6000(원)

② : 6000×4=24000(원)

③ : 24000+6000=30000(원)

따라서, 영수가 처음에 저금통에 모은 돈은
(3500+2500)×4+6000=30000(원)입니다.

4

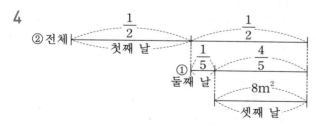

① : 8÷4×5=10(m²)

② : 10×2=20(m²)

따라서, 담장 전체의 넓이는

$(8 \div 4 \times 5) \times 2 = 20(\text{m}^2)$입니다.

5

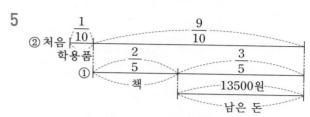

① : 13500÷3×5=22500(원)

② : 22500÷9×10=25000(원)

따라서, 영수가 처음에 가지고 있던 용돈은
(13500÷3×5)÷9×10=25000(원)입니다.

6

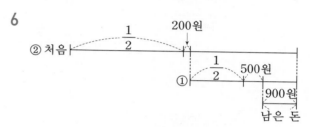

① : (900+500)×2=2800(원)

② : (2800+200)×2=6000(원)

따라서, 율기가 처음에 가지고 있던 돈은
{(900+500)×2+200}×2=6000(원)입니다.

금메달 따기

p. 15

1 300kg   2 600개

3 70장

1

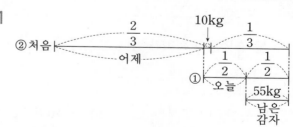

① : 55×2=110(kg)

② : (110-10)×3=300(kg)

따라서, 농가에서 생산한 감자는
(55×2-10)×3=300(kg)입니다.

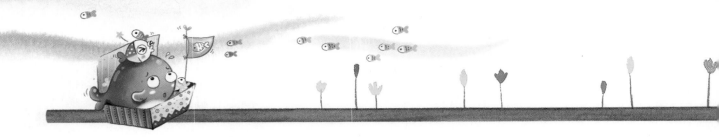

2

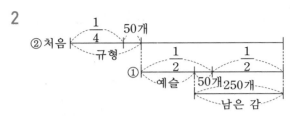

①: $(250-50)\times2=400(개)$
②: $(400+50)\div3\times4=600(개)$
따라서, 처음에 감나무에 달려 있던 감은
$\{(250-50)\times2+50\}\div3\times4=600(개)$입니다.

3

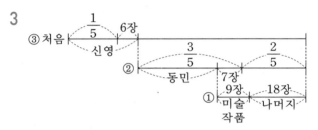

①: $18+9=27(장)$
②: $(27-7)\div2\times5=50(장)$
③: $(50+6)\div4\times5=70(장)$
따라서, 석기가 처음에 가지고 있던 색종이는
$\{(18+9-7)\div2\times5+6\}\div4\times5=70(장)$입니다.

---

3 한쪽을 지워서 해결하기

확인문제 p. 16

1 물 $\frac{1}{3}$만큼의 차이가 납니다.

2 31.5kg **3** 1.2kg

2 물 $\frac{1}{3}$만큼의 무게는 $32.7-22.2=10.5(kg)$이므로 처음 물통에 가득 들어 있던 물만의 무게는 $10.5\times3=31.5(kg)$입니다.

3 $32.7-31.5=1.2(kg)$

동메달 따기 p. 17 ~ 18

1 1500g **2** 3kg 150g
3 250g **4** 200원
5 1550원 **6** 17500원

1 우유의 반만큼의 무게는 $2300-1550=750(g)$입니다. 따라서, 처음에 들어 있던 우유만의 무게는 $750\times2=1500(g)$입니다.

2 과일 $\frac{1}{3}$만큼의 무게는 $4000-2950=1050(g)$이므로 처음에 들어 있던 과일만의 무게는 $1050\times3=3150(g)$입니다.
따라서, 3kg 150g입니다.

3 구슬 10개의 무게는 $1000-850=150(g)$이므로 구슬 50개의 무게는 $150\times5=750(g)$입니다. 따라서, 빈 통의 무게는 $1000-750=250(g)$입니다.

4 연필 3자루와 지우개 5개는 연필 3자루와 지우개 2개와의 관계에서 지우개 3개만큼의 차이가 납니다. 지우개 3개의 값은 $1350-900=450(원)$이므로 지우개 1개의 값은 $450\div3=150(원)$입니다.
따라서, 연필 1자루의 값은 $(900-150\times2)\div3=200(원)$입니다.

5 사탕 20개의 가격은 $5550-3550=2000(원)$이므로 사탕 1개의 가격은 $2000\div20=100(원)$입니다. 따라서, 빈 상자의 가격은 $3550-100\times30=550(원)$이므로 사탕 10개를 넣은 상자의 가격은 $100\times10+550=1550(원)$입니다.

6 장미 5송이의 가격은 $13500-9500=4000(원)$이므로 장미 1송이의 가격은 $4000\div5=800(원)$이고, 바구니만의 가격은 $9500-800\times10=1500(원)$입니다.
따라서, 장미 20송이를 바구니에 담아 파는 가격은 $800\times20+1500=17500(원)$입니다.

은메달 따기

p. 19 ~ 20

1 주스 : 450g, 빈 병 : 500g

2 0.6kg   3 1200원

4 귤 : 200원, 감 : 300원

5 350원

6 사과 : 600g, 귤 : 150g

---

1 주스 $\dfrac{2}{9}$만큼의 무게는 $950-850=100(g)$입니다. 따라서, 처음에 가득 들어 있던 주스의 무게는 $100÷2×9=450(g)$이고, 빈 병의 무게는 $950-450=500(g)$입니다.

2 통조림 수의 $\dfrac{2}{3}$만큼의 무게는 $45.6-15.6=30(kg)$이므로 처음에 들어 있던 통조림의 무게는 $30÷2×3=45(kg)$입니다. 따라서, 빈 상자의 무게는 $45.6-45=0.6(kg)$입니다.

3 사과 1개와 배 2개는 사과 2개와 배 3개와의 관계에서 사과 1개와 배 1개만큼의 차이가 납니다. 따라서, 사과 1개와 배 1개의 값은 $5400-3300=2100(원)$이므로 배 1개의 값은 $3300-2100=1200(원)$입니다.

4 귤 2개와 감 1개의 값은 700원이므로 귤 4개와 감 2개의 값은 $700×2=1400(원)$입니다. 귤 3개와 감 2개는 귤 4개와 감 2개와의 관계에서 귤 1개만큼의 차이가 납니다. 따라서, 귤 1개의 값은 $1400-1200=200(원)$이고, 감 1개의 값은 $700-200×2=300(원)$입니다.

5 빵 2개와 우유 4개는 2300원이므로 빵 1개와 우유 2개의 값은 $2300÷2=1150(원)$입니다. 따라서, 빵 1개와 우유 6개는 2550원이라 하였으므로, 우유 1개의 값은 $(2550-1150)÷(6-2)=350(원)$입니다.

6 사과 2개와 귤 5개의 무게가 1950g이므로 사과 4개와 귤 10개의 무게는 $1950×2=3900(g)$입니다. 사과 4개와 귤 10개는 사과 4개와 귤 8개와의 관계에서 귤 2개만큼의 차이가 납니다. 따라서, 귤 1개의 무게는 $(3900-3600)÷2=150(g)$이고, 사과 1개의 무게는 $(1950-150×5)÷2=600(g)$입니다.

금메달 따기

p. 21

1 2kg

2 샤프 : 500원, 샤프심 : 200원

3 400원

---

1 간장의 $\dfrac{2}{5}$만큼의 무게는 $3.5-2.3=1.2(kg)$이므로 처음에 들어 있던 간장의 무게는 $1.2÷2×5=3(kg)$이고, 빈 통의 무게는 $3.5-3=0.5(kg)$입니다.

따라서, 처음에 들어 있던 간장의 $\dfrac{1}{2}$을 사용하고 무게를 재어 보면 $3÷2+0.5=2(kg)$입니다.

2 (샤프 3개)=(샤프심 3통)+900이므로
(샤프 3개)+(샤프심 5통)=(샤프심 8통)+900
$\qquad\qquad\qquad\qquad\quad =2500(원)$입니다.
따라서, 샤프심 1통의 값은 $(2500-900)÷8=200(원)$이고, 샤프 1개의 값은 $200+300=500(원)$입니다.

3 공책 2권의 값은 연필 5자루의 값보다 50원 더 비싸므로 공책 6권의 값은 연필 15자루의 값보다 $50×3=150(원)$ 더 비쌉니다.
(공책 6권)+(연필 10자루)
=(연필 15자루)+150+(연필 10자루)
=(연필 25자루)+150=3900(원)입니다.
따라서, 연필 1자루의 값은 $(3900-150)÷25=150(원)$이므로 공책 1권의 값은 $(3900-150×10)÷6=400(원)$입니다.

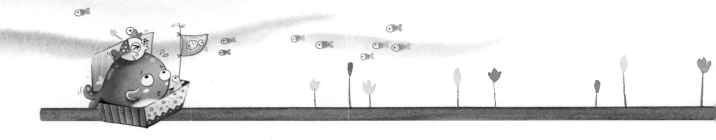

4 바둑돌 늘어놓기 유형 해결하기

확인문제　　　　　　　　p. 22

| 1 11개 | 2 10개 |
| 3 40개 | |

2 한 묶음에는 한 변에 놓인 사탕의 수보다 1개 더 적은 사탕이 있습니다.

3 (둘레에 놓인 사탕의 개수)
$=\{$(한 변에 놓인 사탕의 개수)$-1\}\times 4$
$=(11-1)\times 4=10\times 4=40$(개)

● 동메달 따기　　　　　　p. 23 ~ 24

1 72개	2 96개
3 74개	4 124장
5 50개	6 76개

1 둘레에 놓인 바둑돌을 4등분 하여 생각합니다.
따라서, $(19-1)\times 4=72$(개)입니다.

2 $(25-1)\times 4=96$(개)

3 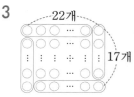 왼쪽 그림에서 볼 때, 동전이 한 묶음에 $22-1=21$(개)인 것과 한 묶음에 $17-1=16$(개)인 두 종류의 묶음이 있습니다. 따라서,
$\{(22-1)+(17-1)\}\times 2$
$=\{(22+17)-2\}\times 2=74$(개)입니다.

4 $(32-1)\times 4=124$(장)

5 (한 변에 놓인 구슬의 개수)
$=$(둘레에 놓인 구슬의 개수)$\div 4+1$
$=196\div 4+1=50$(개)
따라서, 가장 바깥쪽의 한 변에 놓인 구슬은 50개입니다.

6 동전 전체의 개수는 $40000\div 100=400$(개)이므로 한 변에 놓인 동전은 20개입니다.
따라서, 둘레에 놓인 동전은
$(20-1)\times 4=76$(개)입니다.

● 은메달 따기　　　　　　p. 25 ~ 26

1 184개	2 30000원
3 41개	4 729개
5 256개	6 534장

1 처음 정사각형의 한 변에 놓인 바둑돌은
$176\div 4+1=45$(개)입니다. 둘레를 한 번 더 에워싸면 정사각형의 한 변에는 바둑돌이
$45+2=47$(개) 놓이게 됩니다.
따라서, 바둑돌은 $(47-1)\times 4=184$(개)가 더 필요합니다.

별해

정사각형의 둘레를 한 번 에워쌀 때마다 8개씩 더 필요하므로 $176+8=184$(개)입니다.

2 $14\times 14=196$이므로 정사각형의 한 변에는 동전이 14개씩 있고, 동전을 한 번 더 에워싸서 만든 정사각형의 한 변에 놓인 동전의 개수는
$14+2=16$(개)입니다.
따라서, 필요한 동전의 개수는
$(16-1)\times 4=60$(개)이므로 돈은
$500\times 60=30000$(원)이 더 필요합니다.

3 처음 정사각형의 한 변에 놓인 바둑돌은
$80\div 4+1=21$(개)이므로 영수가 가지고 있는 바둑돌은 모두 $21\times 21=441$(개)입니다.
가로와 세로에 20개씩 빈틈없이 늘어놓아 정사각형을 만들면 바둑돌이 $20\times 20=400$(개)가 사용되므로 바둑돌은 $441-400=41$(개)가 남습니다.

4 둘레에 놓인 검은색 바둑돌이 112개이므로 가장 바깥쪽의 한 변에 놓인 바둑돌은
$112\div 4+1=29$(개)이고, 안쪽의 모양은 한 변에 놓인 흰색 바둑돌이 $29-2=27$(개)인 정사각형입니다.
따라서, 흰색 바둑돌은 $27\times 27=729$(개)입니다.

5 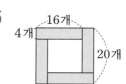 한 변에 놓인 구슬의 개수는 $76\div 4+1=20$(개)입니다. 따라서, 왼쪽 그림에서 사용된 구슬의 개수는
$(20-4)\times 4\times 4=256$(개)입니다.

별해

한 변에 놓인 구슬은 $76÷4+1=20$(개)이고, 빈 정사각형 속에 채울 수 있는 구슬 수는 $(20-8)×(20-8)=144$(개)입니다. 따라서, 사용된 구슬의 개수는 $20×20-144=400-144=256$(개)입니다.

6 가로와 세로를 1열씩 늘리는 데 $50-5=45$(장)이 사용되었으므로 1열씩 늘려 만든 정사각형의 한 변에 놓이는 우표는 $(45+1)÷2=23$(장)입니다. 따라서, 우표는 모두 $23×23+5=534$(장)입니다.

금메달 따기 p. 27

1 427개 **2** 360개
3 170cm

1 가로와 세로를 늘리는 데 $27+14=41$(개)가 사용되므로 1열씩 늘려 만든 정사각형의 한 변에 놓이는 바둑돌은 $(41+1)÷2=21$(개)입니다. 따라서, 바둑돌은 모두 $21×21-14=427$(개)입니다.

2 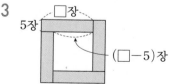 왼쪽 그림에서 볼 때, 직사각형의 둘레에서 ㉠+㉡$=74÷2=37$(개)이므로 (가로의 개수)+(세로의 개수)$=37+2=39$(개)입니다. 따라서, 합과 차를 이용하여 해결하면 (가로의 개수)$=(39+9)÷2=24$(개)이고, (세로의 개수)$=24-9=15$(개)이므로 구슬은 모두 $24×15=360$(개)입니다.

3

$(□×5)×4=440$, $□=22$
판자의 한 변의 길이는 타일 $22-5=17$(장)의 가로의 길이와 같으므로 $10×17=170$(cm)입니다.

---

5 나무심기 유형 해결하기

확인문제 p. 28

1 48개 **2** 49그루
3 98그루

1 $2400÷50=48$(개)

2 $48+1=49$(그루)

3 $49×2=98$(그루)

동메달 따기 p. 29 ~ 30

1 39그루 **2** 184개
3 146개 **4** 318개
5 1km 404m **6** 48번

1 간격의 수는 $1482÷39=38$(개)입니다. 따라서, 단풍나무는 $38+1=39$(그루)가 필요합니다.

2 1km 104m$=1104$m입니다. $1104÷6=184$에서 간격의 수는 184개입니다. 따라서, 사용된 말뚝의 수와 간격의 수가 같으므로 말뚝은 184개입니다.

3 간격의 수는 $3600÷50=72$(개)입니다. 다리의 한쪽에 필요한 가로등이 $72+1=73$(개)이므로 다리의 양쪽에 필요한 가로등은 $73×2=146$(개)입니다.

4 간격의 수는 $1760÷11=160$(개)입니다. 터널의 한쪽에 필요한 조명이 $160-1=159$(개)이므로 터널의 양쪽에 필요한 조명은 $159×2=318$(개)입니다.

5 저수지에서 소나무의 수와 간격의 수는 같습니다. 따라서, $27×52=1404$(m)이므로 1km 404m입니다.

6 10m$=1000$cm입니다. $1000÷40=25$에서 10m짜리 철사 1개를 40cm로 자르면 25도막이 만들어지므로 24번

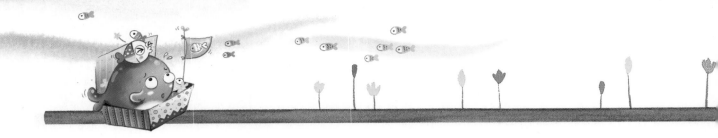

잘라야 합니다.
따라서, 10m짜리 철사가 2개이므로 모두
24×2=48(번) 잘라야 합니다.

은메달 따기   p. **31 ~ 32**

1 10개	**2** 21그루
3 738000원	**4** 800m
5 9.227m	**6** 128그루

1 1248÷32=39에서 간격이 39개이므로 자전거
도로의 한쪽에는 기둥을 40개 세워야 합니다.
따라서, 양쪽에는 40×2=80(개)를 세워야 하
므로 기둥은 90−80=10(개)가 남습니다.

2 120, 168, 216의 최대공약수는 24이므로 은행
나무를 24m 간격으로 심어야 합니다. 땅의 둘
레의 길이가 120+168+216=504(m)이므
로 간격은 504÷24=21(개)입니다.
심어야 하는 은행나무와 간격의 수가 같으므로
21그루가 필요합니다.

3 1800÷45=40에서 간격이 40개이므로 도로의
한쪽에는 소나무가 41그루 필요합니다.
따라서, 도로의 양쪽에 소나무를
41×2=82(그루) 심어야 하므로 필요한 소나무
를 사는 데 9000×82=738000(원)이 듭니다.

4 첫 번째 전봇대에서 마지막 전봇대 사이에 간격
의 수가 25−1=24(개)이므로 거리는
33×24=792(m)입니다.
따라서, 지혜네 집에서 가영이네 집 사이의 거리
는 792+4×2=800(m)입니다.

5 22장을 이어 붙이면 21군데가 겹쳐지게 됩니다.
따라서, 색 테이프의 전체 길이는
47×22−5.3×21=1034−111.3=922.7(cm)
이므로 9.227m입니다.

6 밤나무는 2048÷64=32(그루)가 필요합니다.
밤나무를 32그루 심으면 간격의 수도 32개이므
로 도토리나무는 3×32=96(그루)가 필요합니
다. 따라서, 나무는 모두 32+96=128(그루)
가 필요합니다.

금메달 따기   p. **33**

1 11개	**2** 22분 45초
3 4.5cm	

1 뽑지 않고 그냥 두어도 되는 곳은 4m와 5m 간
격으로 꽂는 깃발이 겹치는 곳입니다.
따라서, 처음부터 꽂기 시작하여 20m 간격으로
깃발을 꽂는 것과 같으므로 뽑지 않고 그냥 두어
도 되는 깃발은 200÷20+1=11(개)입니다.

2 통나무는 15÷3=5(도막)이 되고 5도막으로
자르려면 4번 자르고, 3번 쉬면 됩니다.
(4분 45초)×4=16분 180초=19분,
(1분 15초)×3=3분 45초이므로
19분+3분 45초=22분 45초입니다.

3 원 모양을 만들지 않으면 겹치는 부분은 34군데
지만 원 모양을 만들면 처음 종이 테이프와 마지
막 종이 테이프도 붙여야 하므로 겹치는 부분이
한 군데 더 생기게 되어 35군데입니다.
따라서, 겹치는 부분 하나의 길이는
(23.5×35−665)÷35=4.5(cm)입니다.

6 규칙적으로 반복되는 유형 해결하기

확인문제   p.**34**

1 7, 1, 4, 2, 8, 5	**2** 22묶음, 1개
3 7	

1 5÷7=0.714285714285…에서 반복되는 부분
은 7, 1, 4, 2, 8, 5입니다.

2 133÷6=22…1에서 22묶음이 되고, 1개가 남
습니다.

동메달 따기
p. 35 ~ 36

1 4개	**3** 162번
3 254개	**4** 6
5 수요일	**6** 312째 번

1 첫째 번부터 셋째 번까지의 쌓기나무가 반복되는 규칙입니다. $155 \div 3 = 51 \cdots 2$에서 반복되는 부분은 51묶음이 되고, 쌓기나무로 쌓은 모양이 2개 남습니다. 따라서, 155째 번 모양은 반복되는 부분의 둘째 번 모양과 같으므로 사용된 쌓기나무는 4개입니다.

2 반복되는 7, 7, 1, 5, 5를 한 묶음으로 생각하면 숫자 7은 2개가 들어 있습니다. $402 \div 5 = 80 \cdots 2$에서 반복되는 부분은 80묶음이 되고, 숫자 2개가 남으며, 2개 모두 7입니다. 따라서, 숫자 7은 $2 \times 80 + 2 = 162$(번) 나옵니다.

3 반복되는 부분은 ◇●◇■●◇◇●● 이고, 이 중 ◇는 4개 들어 있습니다.
$572 \div 9 = 63 \cdots 5$에서 반복되는 부분은 63묶음이 되고, 도형이 5개 남으며, 이 중 ◇는 2개입니다. 따라서, ◇는 $4 \times 63 + 2 = 254$(개) 있습니다.

4 $\frac{7}{11} = 7 \div 11 = 0.636363 \cdots$에서 반복되는 부분은 6, 3입니다. $245 \div 2 = 122 \cdots 1$에서 122묶음이 되고, 숫자 1개가 남습니다. 따라서, 6입니다.

5 다음 해 4월 2일은 12월 7일부터
$24 + 31 + 29 + 31 + 2 = 117$(일) 후입니다.
$117 \div 7 = 16 \cdots 5$에서 금요일부터 5일 후인 수요일입니다.

6 반복되는 부분은 E, D, U, W, A, N, G으로 7개의 알파벳이 있습니다.
따라서, $7 \times 44 + 4 = 312$(째 번)입니다.

은메달 따기
p. 37 ~ 38

1 417개	**2** 4, 53번
3 436개	**4** 856
5 9	**6** 일요일

1 반복되는 부분은 ♡♡♤☆♡☆♤으로 한 묶음 안에 ♡는 3개, ☆은 2개 있으므로 모두 $3 + 2 = 5$(개) 있습니다. 583개를 늘어놓았을 때, $583 \div 7 = 83 \cdots 2$에서 반복되는 부분은 83묶음이 되고, 마지막에 ♡가 2개 남으므로 $5 \times 83 + 2 = 417$(개)입니다.

2 반복되는 부분은 4, 4, 7, 5, 8, 2, 4, 8로 한 묶음 안에 4는 3번, 8은 2번 나오므로 한 묶음마다 4가 1번씩 더 많이 나옵니다.
$412 \div 8 = 51 \cdots 4$에서 51묶음에서 4가 1번씩 더 나오고, 남은 4개의 수 중에도 2번 나오므로 $51 + 2 = 53$(번) 더 많이 나옵니다.

3 1층의 쌓기나무가 2개씩 늘어나며 앞에서 첫째 번, 둘째 번, 셋째 번 모양이 반복되는 규칙입니다. 반복되는 부분의 쌓기나무 개수가 4개, 6개, 8개이고, 반복되는 부분의 쌓기나무 개수의 합은 18개입니다. $73 \div 3 = 24 \cdots 1$에서 반복되는 부분은 24묶음이 되고, 모양이 1개 남습니다.
따라서, 쌓기나무는 모두 $18 \times 24 + 4 = 436$(개)입니다.

4 $17 \div 27 = 0.629629629 \cdots$에서 반복되는 부분은 6, 2, 9로 3개이고, 이들의 합은 $6 + 2 + 9 = 17$입니다. $151 \div 3 = 50 \cdots 1$에서 반복되는 부분은 50묶음이고, 숫자가 1개 남습니다.
따라서, $17 \times 50 + 6 = 856$입니다.

5 $7 \times 7 = 49 \Rightarrow 9$,
$7 \times 7 \times 7 = 343 \Rightarrow 3$,
$7 \times 7 \times 7 \times 7 = 2401 \Rightarrow 1$,
$7 \times 7 \times 7 \times 7 \times 7 = 16807 \Rightarrow 7$, …이므로 일의 자리의 숫자는 7, 9, 3, 1이 반복됩니다.
$450 \div 4 = 112 \cdots 2$에서 112묶음이 되고, 숫자 2개가 남습니다.
따라서, 7을 450번 곱하면 일의 자리의 숫자는 9가 됩니다.

6 2009년 8월 30일은 2009년 6월 13일부터
$17 + 31 + 30 = 78$(일) 후이므로 2009년 8월 30일은 2006년 6월 13일부터
$365 + 366 + 365 + 78 = 1174$(일) 후입니다.
따라서, $1174 \div 7 = 167 \cdots 5$에서 2009년 8월 30일은 화요일부터 5일 후인 일요일입니다.

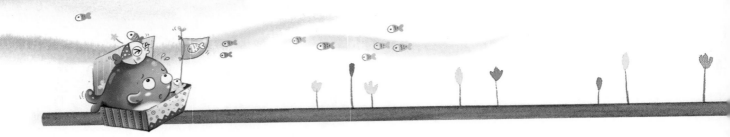

$365 \div 7 = 52 \cdots 1$이므로 365일마다 요일은 하나씩 앞서 갑니다. 즉, 2007년 6월 13일은 수요일, 2008년 6월 13일은 금요일, 2009년 6월 13일은 토요일입니다. 따라서, 2009년 8월 30일은 2009년 6월 13일부터 $17+31+30=78$(일) 후이므로 $78 \div 7 = 11 \cdots 1$에서 일요일입니다.

금메달 따기   p. 39

1 13.84   2 282째 번

3 4

1 반복되는 부분은 $\frac{1}{25}$, 0.08, $\frac{3}{25}$, 0.16, $\frac{1}{5}$,

0.24이고, 이들의 합은

$\frac{1}{25} + 0.08 + \frac{3}{25} + 0.16 + \frac{1}{5} + 0.24$

$= 0.04 + 0.08 + 0.12 + 0.16 + 0.2 + 0.24$

$= 0.84$입니다.

$100 \div 6 = 16 \cdots 4$에서

$0.84 \times 16 + (0.04 + 0.08 + 0.12 + 0.16)$

$= 13.84$입니다.

2 반복되는 부분은

이고, 금액의 합이

$500 + 100 + 10 + 10 + 500 + 500 + 10$

$= 1630$(원)입니다.

$65800 \div 1630 = 40 \cdots 600$에서 반복되는 부분은 40묶음이고, 남은 동전들의 금액의 합이 600원인 것을 알 수 있습니다.

$600 = 500 + 100$이므로 남은 동전은 500원과 100원으로 2개입니다.

따라서, 처음부터 $7 \times 40 + 2 = 282$(째 번) 동전까지의 합입니다.

3 $4\frac{5}{13} = \frac{57}{13} = 57 \div 13 = 4.38461538461538\cdots$

의 소수점 아래에서 반복되는 부분은 3, 8, 4, 6, 1, 5로 6개입니다. $140 \div 6 = 23 \cdots 2$에서 소수점 아래 140째 자리의 숫자는 8이고, 139째 자리의 숫자는 3입니다.

따라서, 8을 반올림하면 소수점 아래 139째 자리의 숫자는 4가 됩니다.

7 평균에 관한 문제 해결하기

확인문제   p. 40

1 106명   2 140명

3 34명

1 $33 + 35 + 38 = 106$(명)

2 $35 \times 4 = 140$(명)

3 $140 - 106 = 34$(명)

동메달 따기   p. 41 ~ 42

1 가영이네 학교   2 155

3 월요일, 수요일   4 용희, 2분

5 45쪽   6 600개

1 (가영이네 학교 한 학생당 사용할 수 있는 운동장의 넓이)$= 7020 \div 585 = 12(\text{m}^2)$

(효근이네 학교 한 학생당 사용할 수 있는 운동장의 넓이)$= 7920 \div 720 = 11(\text{m}^2)$

따라서, 가영이네 학교 학생들이 운동장을 더 넓게 사용할 수 있습니다.

2 125 이상인 수는 125와 같거나 큰 수이므로 주어진 수 중에서 125 이상인 수는 155, 125, 140, 200입니다.

따라서, 125 이상인 수들의 평균은

$(155 + 125 + 140 + 200) \div 4 = 620 \div 4 = 155$

입니다.

3 (결석한 평균 학생 수)

$= (6 + 3 + 4 + 0 + 3 + 2) \div 6$

$= 18 \div 6 = 3$(명)

따라서, 결석한 학생 수가 3명보다 많은 요일은 월요일, 수요일입니다.

4 6시간 32분$=392$분

(규형이의 하루 평균 공부 시간)$=392 \div 7$

$= 56$(분)

9시간 40분$=580$분

(용희의 하루 평균 공부 시간)$=580 \div 10$

$= 58$(분)

따라서, 하루 평균 공부 시간은 용희가 규형이보다 $58-56=2$(분) 더 많습니다.

5 일 주일 동안 읽은 책의 쪽수에서 6일째까지 읽은 책의 쪽수를 빼서 구합니다.
(일 주일 동안 읽은 책의 쪽수)$=35×7$
$\qquad\qquad\qquad\qquad\qquad\quad=245$(쪽)
따라서, 7일째에는 $245-200=45$(쪽)을 읽었습니다.

6 (포도나무 80그루에서 열린 포도의 수)
$=120×80=9600$(송이)
(필요한 상자의 총 개수)$=9600÷16$
$\qquad\qquad\qquad\qquad\qquad=600$(개)

은메달 따기   p. 43 ~ 44

1 448km
2 가 마을 : 15200kg, 라 마을 : 7600kg
3 약 43.3kg   **4** 4.2km
5 285m   **6** 150.9cm

---

1 4시간에 320km를 달리므로 한 시간에는
$320÷4=80$(km)를 갑니다.
5시간 36분$=5.6$시간
(자동차가 5시간 36분 동안 달린 거리)
$=80×5.6=448$(km)

2 (네 마을의 고추 총 생산량)$=9500×4$
$\qquad\qquad\qquad\qquad\qquad\qquad=38000$(kg)
(가와 라 마을의 고추 생산량의 합)
$=38000-(6200+9000)=22800$(kg)
(라 마을의 고추 생산량)$=22800×\dfrac{1}{3}$
$\qquad\qquad\qquad\qquad\qquad\qquad=7600$(kg)
(가 마을의 고추 생산량)$=7600×2$
$\qquad\qquad\qquad\qquad\qquad\qquad=15200$(kg)

3 (남학생의 몸무게의 합)$=44.5×20=890$(kg)
(여학생의 몸무게의 합)$=42×18=756$(kg)
(전체 학생의 평균 몸무게)
$=(890+756)÷(20+18)=43.31\cdots$(kg)
따라서, 반올림하여 소수 첫째 자리까지 나타내면 약 43.3kg입니다.

4 $2+3=5$(시간) 동안 $9+12=21$(km)를 걸은 것이므로 한 시간에 평균 $21÷5=4.2$(km)를 걸은 셈입니다.

5 일 주일 동안 달린 거리의 평균인 300m는 일 주일의 가운데 날인 넷째 날 달린 거리와 같습니다.

첫째 날	둘째 날	셋째 날	넷째 날	다섯째 날	여섯째날	일곱째 날
285m	290m	295m	300m	305m	310m	315m

    5m   5m   5m   5m   5m   5m

따라서, 첫째 날 달린 거리는
$300-5×3=285$(m)입니다.

6 한 명이 전학 온 후의 학생들의 키의 합에서 전학 오기 전의 학생들의 키의 합을 빼서 구합니다.
(한 명이 전학 오기 전의 학생들의 키의 합)
$=141×32=4512$(cm)
(한 명이 전학 온 후의 학생들의 키의 합)
$=(141+0.3)×33=4662.9$(cm)
따라서, 전학 온 학생의 키는
$4662.9-4512=150.9$(cm)입니다.

별해

한 명이 전학을 와서 평균 키가 0.3cm 더 커졌으므로 33명의 키가 0.3cm씩 커진 것과 같습니다.
따라서, 전학 온 학생의 키는
$141+33×0.3=141+9.9=150.9$(cm)입니다.

금메달 따기   p. 45

1 20   **2** 90점
3 6회

---

1 (두 수의 합)$=$(평균)$×2$를 이용하여 세 수의 평균을 구합니다.
(가와 나의 합)$=23×2=46$,
(나와 다의 합)$=20×2=40$,
(가와 다의 합)$=17×2=34$
(가, 나, 다의 합)$×2=46+40+34=120$
(가, 나, 다의 합)$=120÷2=60$
따라서, 가, 나, 다의 평균은 $60÷3=20$입니다.

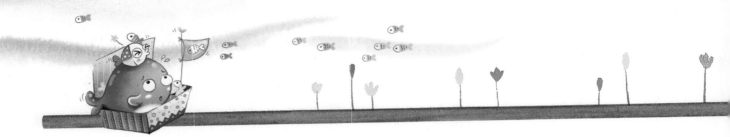

2 세 사람의 총점은 82×3=246(점)입니다.
한별이를 기준으로 하여 그림을 그려 보면 다음
과 같습니다.

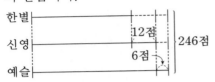

따라서, 예슬이의 점수는
(246+12+6×2)÷3=90(점)입니다.

3 수학 시험에서 모두 75점을 받았다고 생각하면
90-75=15(점)이 남고 이것은
77.5-75=2.5(점)씩 15÷2.5=6(회)에 걸
쳐 평균 점수를 높인 것과 같으므로 시험은 모두
6회 본 것입니다.

별해

지금까지 본 수학 시험의 횟수를 □회로 놓고 면
적을 이용하여 구합니다.

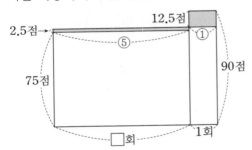

색칠한 부분의 넓이는 서로 같아야 하며, 세로의
비가 2.5 : 12.5=1 : 5이므로 가로의 비는 5 : 1
입니다. 따라서, 5+1=6(회)입니다.

---

8 차가 일정한 점을 이용하여 해결하기

확인문제   p.46

1 30   **2** 10살

3 2년 전

2 30÷(4-1)=10(살)

3 12-10=2(년)

동메달 따기   p. 47 ~ 48

1 2년 후   **2** 4년 전

3 41일 후   **4** 10달 전

5 4일 후   **6** 2년 후

---

1 어머니와 아들의 나이의 차는 40-12=28(살)
로 항상 같습니다. 몇 년 후의 어머니의 연세와
아들의 나이를 그림으로 그려 보면 다음과 같습
니다.

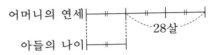

위의 그림에서 몇 년 후의 아들의 나이는
28÷(3-1)=14(살)입니다.
따라서, 어머니의 연세가 아들의 나이의 3배가
되는 것은 14-12=2(년) 후입니다.

2 코끼리와 곰의 나이의 차는 항상
48-15=33(살)로 같습니다. 몇 년 전의 코끼
리의 나이와 곰의 나이를 그림으로 나타내면 다
음과 같습니다.

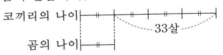

몇 년 전의 곰의 나이는 33÷(4-1)=11(살)
입니다.
따라서, 코끼리의 나이가 곰의 나이의 4배가 되
었던 것은 15-11=4(년) 전입니다.

3 지금 두 사람이 가지고 있는 초콜릿의 개수의 차
는 68-50=18(개)입니다. 며칠 후의 율기와
한별이의 초콜릿의 개수를 그림으로 그려 보면
다음과 같습니다.

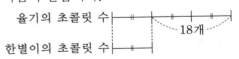

율기의 초콜릿의 개수가 한별이의 초콜릿의 개수
의 3배가 되는 것은 한별이의 초콜릿의 개수가
18÷(3-1)=9(개)가 될 때입니다.
따라서, 50-9=41(일) 후입니다.

4 두 사람이 가지고 있는 스티커의 수의 차는
30-10=20(장)이므로, 한솔이의 남은 스티커

의 수가 지혜의 남은 스티커의 수의 2배가 되 던 때는 지혜의 스티커의 수가
$20 \div (2-1) = 20$(장)이 되었을 때입니다.
따라서, $20-10=10$(달) 전입니다.

5 동민이와 웅이의 돈의 차는
$8000-5000=3000$(원)이므로 웅이의 남는 돈이 동민이의 남는 돈의 2배가 되는 것은 동민이의 남는 돈이 $3000 \div (2-1) = 3000$(원)이 될 때입니다.
따라서, $(5000-3000) \div 500 = 4$(일) 후입니다.

6 올해 석기의 나이는 합과 차의 관계를 이용하여 구할 수 있습니다. 따라서, 올해 석기의 나이는 $(28-16) \div 2 = 6$(살)입니다. 이모의 연세가 석기의 나이의 3배가 되도록 그림을 그려 보면 다음과 같습니다.

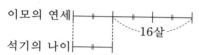

위의 그림에서 이모의 연세가 석기의 나이의 3 배가 될 때 석기의 나이는 $16 \div (3-1) = 8$(살) 이므로 $8-6=2$(년) 후 입니다.

은메달 따기 p. 49 ~ 50

1 32세	**2** 35세
3 42살	**4** 41년 후
5 62살	**6** 28살

1 어머니의 연세가 예슬이의 나이의 4배가 되도록 그림을 그려 보면 다음과 같습니다.

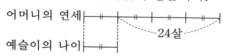

위의 그림에서 어머니의 연세가 예슬이의 나이 의 4배가 되었을 때 예슬이의 나이는
$24 \div (4-1) = 8$(살)이므로, 이 때의 어머니의 연세는 $8 \times 4 = 32$(세)입니다.

2 나이의 차가 21살이고, 삼촌의 연세가 조카의 나이의 2.5배가 되도록 그림을 그려 보면 다음과 같습니다.

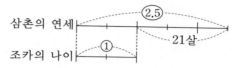

위의 그림에서 조카의 나이는
$21 \div (2.5-1) = 21 \div 1.5 = 14$(살)이고, 삼촌의 연세는 $14 \times 2.5 = 35$(세)입니다.

3 나이의 차가 12살이고, 선생님의 연세가 석기의 나이의 1.8배가 되도록 그림을 그려 보면 다음과 같습니다.

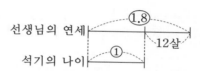

위의 그림에서 석기의 나이는
$12 \div (1.8-1) = 12 \div 0.8 = 15$(살)이고, 선생님의 연세는 $15+12=27$(세)입니다. 따라서, 선생님과 석기의 나이의 합은 $27+15=42$(살) 입니다.

4 두 손녀의 나이의 합은 1년에 2살씩 많아지고 할머니의 연세는 1살씩 많아지므로 나이의 차가 1 년마다 $2-1=1$(살)씩 좁혀집니다.
올해 할머니의 연세는 두 손녀의 나이의 합보다 $58-(10+7)=41$(살) 더 많으므로 나이가 같아지는 것은 41년 후입니다.

5 올해 아버지의 연세와 나와 동생의 나이의 합의 차는 $42-22=20$(살)이므로
$20 \div (2-1) = 20$(년) 후에 나이가 같아집니다. 20년 후에 나와 동생의 나이는 각각 20살씩 많아지므로 나와 동생의 나이의 합은
$22+20 \times 2 = 62$(살)입니다.

6 올해 이모의 연세와 오빠와 나의 나이의 합의 차는 $35-18=17$(살)이므로,
$17 \div (2-1) = 17$(년) 후에 이모의 연세가 오빠와 나의 나이의 합과 같아집니다. 올해 오빠의 나이는 $(18+4) \div 2 = 11$(살)이므로 17년 후에 오빠의 나이는 $11+17=28$(살)입니다.

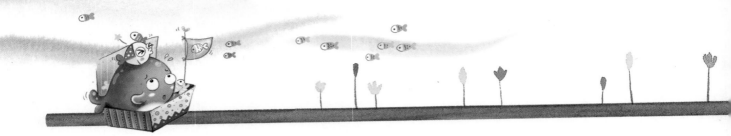

금메달 따기　　　　　　　　　　　p. 51

1 6년 후　　　　**2** 42살

3 12개

1 □년 후를 그림으로 그려 나타내면 다음과 같습니다.

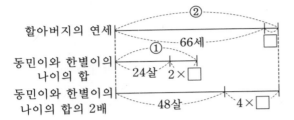

따라서, 66+□=48+4×□,

□=(66−48)÷3=18÷3=6이므로 6년 후입니다.

2 올해 어머니의 연세는 $56×\frac{3}{4}=42$(세)이고, 딸은 56−42=14(살)이므로 두 사람의 나이의 차는 42−14=28(살)로 항상 같습니다.

따라서, 어머니와 딸의 나이의 비가 5 : 3이 될 때의 딸의 나이는 28÷(5−3)×3=42(살)입니다.

3 두 사람의 사탕의 개수의 차는 28−20=8(개)로 항상 일정합니다. 율기가 갖게 된 사탕의 개수의 5배가 신영이가 갖게 된 사탕의 개수의 4배와 같으므로 율기와 신영이가 갖게 된 사탕의 개수의 비는 4 : 5입니다. 따라서, 율기는 8÷(5−4)×4=32(개), 신영이는 32+8=40(개)이어야 하므로 각각 받은 사탕의 개수는 32−20=12(개)씩입니다.

9 합이 일정한 점을 이용하여 해결하기

확인문제　　　　　　　　　　　p.52

1 160　　　　**2** 32개

3 28개

2 160÷(4+1)=32(개)

3 60−32=28(개)

동메달 따기　　　　　　　　　　p. 53 ~ 54

1 3L　　　　　　**2** 6번

3 32분　　　　　**4** 24개

5 11.7L　　　　**6** 476cm

1 두 수조에 들어 있는 물의 양은 80+140=220(L)이므로 두 수조의 물이 각각 220÷2=110(L)가 되어야 합니다.

따라서, 1분에 (140−110)÷10=3(L)씩 옮겨 넣은 셈입니다.

별해

두 수조의 물의 양의 차는 140−80=60(L)이므로 60÷2=30(L)를 옮겨 넣어야 합니다.

따라서, 1분에 30÷10=3(L)씩 옮겨 넣은 셈입니다.

2 두 냉동창고에 들어 있는 돼지고기의 양은 732+516=1248(kg)이므로 두 냉동창고에 들어 있는 돼지고기가 각각 1248÷2=624(kg)이 되어야 합니다. 따라서, 한 번에 18kg씩 (732−624)÷18=6(번) 옮긴 것입니다.

별해

(732−516)÷2÷18=6(번)

3 두 기름탱크에 들어 있는 기름의 양은 20.4+26.8=47.2(t)이므로 두 기름탱크의 기름은 각각 47.2÷2=23.6(t)=23600(kg)이 되어야 합니다.

따라서, (26800−23600)÷100=32(분) 만에 두 기름탱크의 기름의 양이 같아졌습니다.

별해

(26800−20400)÷2÷100=32(분)

4 두 사람이 갖고 있는 사탕의 개수의 합은 88+104=192(개)입니다. 한솔이가 용희에게 사탕을 주고 난 뒤를 그림으로 나타내면 다음과 같습니다.

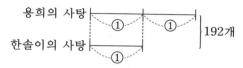

위의 그림에서 한솔이의 사탕이
192÷(2+1)=64(개)가 되므로 한솔이가 용희에게 88−64=24(개)를 주면 됩니다.

5 두 물탱크에 들어 있는 물의 양은
120.8+315.6=436.4(L)입니다. 물탱크 가에서 나로 물을 옮기고 난 뒤를 그림으로 나타내면 다음과 같습니다.

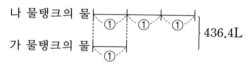

위의 그림에서 가 물탱크의 물의 양은
436.4÷(3+1)=109.1(L)가 되므로 물탱크 가에서 나로 120.8−109.1=11.7(L)를 옮겨 넣었습니다.

6 두 사람이 갖고 있는 철사의 길이의 합은
12.8+27.4=40.2(m)=4020(cm)입니다. 동민이가 웅이에게 철사를 주고 난 뒤를 그림으로 나타내면 다음과 같습니다.

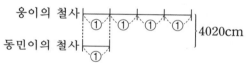

위의 그림에서 동민이의 철사는
4020÷(4+1)=804(cm)가 되므로 동민이가 웅이에게 1280−804=476(cm)를 주었습니다.

은메달 따기   p. 55 ~ 56

1 2000원	2 3000원
3 1000원	4 150원
5 6L	6 0.8L

1 한초가 가진 장난감 수는 (20+4)÷2=12(개)이고, 한초가 본래 가져야 할 장난감 수는
20÷2=10(개)이므로, 한초는 본래 가져야 할 장난감보다 12−10=2(개)를 더 가진 셈입니다.

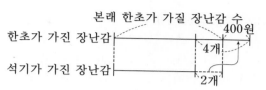

따라서, 장난감 한 개의 값은
400÷2=200(원)이므로 처음에 낸 돈은 각각
(200×20)÷2=2000(원)입니다.

2 한별이가 가진 카드 수는
(100+20)÷2=60(장)이고, 본래 가져야 할 카드 수는 100÷2=50(장)이므로, 한별이는 본래 가져야 할 카드보다 60−50=10(장)을 더 가진 셈입니다.

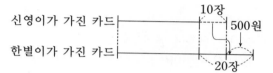

따라서, 카드 한 장의 가격은
500÷10=50(원)이고 한별이가 카드값으로 낸 돈은 (50×100)÷2+500=3000(원)입니다.

3 두 사람이 각각 3000원씩 내서 연필 2다스를 샀으므로 연필 한 자루의 값은
(3000+3000)÷24=250(원)입니다. 지혜는
(24+8)÷2=16(자루)를 가졌으므로, 본래 가져야 할 연필보다 16−12=4(자루) 더 가진 셈이므로 4자루의 값에 해당하는 돈을 영수에게 주어야 합니다.
따라서, 지혜가 영수에게 4×250=1000(원)을 주면 됩니다.

4 동민이와 효근이가 갖고 있는 돈은 모두
300+500=800(원)이므로 효근이가 동민이에게 돈을 주고 난 다음 효근이는
(800−100)÷2=350(원)이 됩니다.
따라서, 효근이는 동민이에게
500−350=150(원)을 주었습니다.

5 두 물탱크에 들어 있는 물은 모두
32+40=72(L)이고, 물탱크 B에서 A로 물을 옮기고 난 뒤에 B의 물은 (72−4)÷2=34(L)가 됩니다. 따라서, 물탱크 B에서 A로
40−34=6(L)를 옮겼습니다.

6 두 통에 들어 있는 포도 주스는 모두

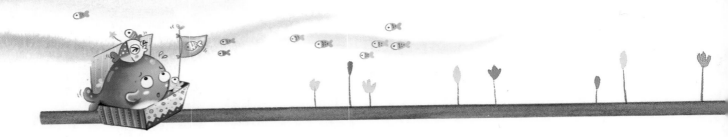

$8.8+5.6=14.4(L)$이므로 가 통에서 나 통으로 포도 주스를 옮기고 난 뒤에 가 통의 포도 주스는 $(14.4+1.6)\div2=8(L)$가 됩니다.

따라서, 가 통에서 나 통으로 포도 주스를 $8.8-8=0.8(L)$ 옮겼습니다.

금메달 따기 p. 57

1 12000원   **2** 32개

3 1개

1 한솔이는 처음에 웅이보다
$1000\times2=2000$(원) 더 갖고 있던 셈이고, 웅이가 한솔이에게 1000원을 주면 처음 차이보다 $1000\times2=2000$(원)의 차이가 더 생기므로 총 4000원의 차이가 생깁니다. 따라서, 한솔이의 돈이 웅이의 돈의 2배가 될 때의 웅이의 돈은 $4000\div(2-1)=4000$(원), 한솔이의 돈은 $4000\times2=8000$(원)이 되므로 두 사람이 갖고 있는 돈의 합은 $4000+8000=12000$(원)입니다.

2 상연이가 율기에게 8개를 주면 두 사람이 갖고 있는 구슬의 수가 같아지므로 상연이는 처음에 율기보다 $8\times2=16$(개)의 구슬을 더 갖고 있던 셈입니다. 또, 율기가 상연이에게 8개를 주면 처음 차이보다 $8\times2=16$(개)의 차이가 더 생기므로 총 $16+16=32$(개)의 차이가 생깁니다.
따라서, 상연이의 구슬 수가 율기의 구슬 수의 5배가 될 때의 율기의 구슬 수는 $32\div(5-1)=8$(개), 상연이의 구슬 수는 $8\times5=40$(개)이므로 상연이는 구슬을 $40-8=32$(개) 갖고 있습니다.

3 가영이는 예슬이에게 배를 4개 받아 14개가 되었고, 예슬이는 $14-4=10$(개)가 되었습니다. 예슬이와 가영이의 배의 개수의 비가 $3:5$가 되려면 예슬이는 $(14+10)\times\dfrac{3}{8}=9$(개)이어야 하므로 $10-9=1$(개) 더 주어야 합니다.

---

10 차량의 통과에 관한 문제 해결하기

확인문제 p. 58

1 110m   **2** 1400m

3 $20\times70-110=1290$, 1290m

2 $20\times70=1400$(m)

3 (다리의 길이)
$=$(열차가 움직인 총 거리)$-$(열차의 길이)
$=20\times70-110=1290$(m)

동메달 따기 p. 59 ~ 60

1 47초   **2** 3초

3 19배   **4** 가 열차, 7초

5 $7:125$ **6** 53초

1 트럭이 움직인 총 거리는 $550+14=564$(m)이므로 터널을 통과하는 데 걸리는 시간은 $564\div12=47$(초)입니다.

2 열차의 길이만큼인 96m를 1초에 32m씩 달리는 셈이므로 걸리는 시간은 $96\div32=3$(초)입니다.

3 열차가 움직인 총 거리는 $25\times80=2000$(m)입니다.
따라서, 철교의 길이는 $2000-100=1900$(m)이므로 철교의 길이는 열차의 길이의 $1900\div100=19$(배)입니다.

4 (가 열차가 걸린 시간)$=(2350+110)\div20$
$\qquad\qquad\qquad\qquad=123$(초)
(나 열차가 걸린 시간)$=(2350+120)\div19$
$\qquad\qquad\qquad\qquad=130$(초)
따라서, 가 열차가 나 열차보다 $130-123=7$(초) 더 빠릅니다.

5 이 열차는 1초에 $1440\div60=24$(m)씩 달리는 셈이므로 열차가 움직인 총 거리는 $24\times110=2640$(m)입니다.
따라서, 철교의 길이는 $2640-140=2500$(m)

이므로 길이의 비는 $140 : 2500 = 7 : 125$입니다.

6 버스의 길이는 $15 \times 42 - 620 = 10\,(\text{m})$이므로 걸리는 시간은 $(1050 + 10) \div (200 \div 10) = 53\,(\text{초})$가 걸립니다.

은메달 따기 ● p. 61 ~ 62

1 1분 45초 2 23m
3 72km   4 23m, 109m
5 20m   6 148m

---

1 A 열차가 움직인 거리는 $26 \times 80 = 2080\,(\text{m})$이므로 철교의 길이는 $2080 - 100 = 1980\,(\text{m})$입니다. B 열차가 움직여야 할 거리는 $1980 + 100 + 20 = 2100\,(\text{m})$입니다.
따라서, B 열차가 철교를 건너는 데는 $2100 \div 20 = 105\,(\text{초})$ ➡ 1분 45초가 걸립니다.

2 A 열차가 움직인 거리는 $24 \times 75 = 1800\,(\text{m})$이므로 철교의 길이는 $1800 - 120 = 1680\,(\text{m})$입니다. B 열차가 움직인 거리는 $1680 + 160 = 1840\,(\text{m})$입니다. 따라서, B 열차는 매초 $1840 \div 80 = 23\,(\text{m})$의 빠르기로 달린 셈입니다.

3 터널의 길이는 $30 \times 43 - 80 = 1210\,(\text{m})$이므로 화물용 열차는 매초 $(1210 + 210) \div 71 = 20\,(\text{m})$의 빠르기로 달립니다.
따라서, 1시간에 $20 \times 60 \times 60 = 72000\,(\text{m})$, 즉 72km를 달립니다.

4 열차는 $1110 - 512 = 598\,(\text{m})$를 가는 데 $53 - 27 = 26\,(\text{초})$가 걸린 셈입니다. 따라서, 열차는 1초에 $598 \div 26 = 23\,(\text{m})$를 가고, 열차의 길이는 $23 \times 27 - 512 = 109\,(\text{m})$입니다.

5 두 열차의 빠르기의 합은 1초에 $(120 + 150) \div 3 = 90\,(\text{m})$입니다.
따라서, 보통열차는 1초에 $90 - 70 = 20\,(\text{m})$의 빠르기로 달립니다.

6 가 열차와 나 열차의 빠르기의 차는 1초에 $24 - 20 = 4\,(\text{m})$이므로 가 열차는 나 열차를 매초 4m씩 따라잡습니다. 따라서, 나 열차의 길이는 $72 \times 4 - 140 = 148\,(\text{m})$입니다.

금메달 따기 ● p. 63

1 120km   2 4초
3 96m

---

1 A 열차와 B 열차의 빠르기의 합은 1초에 $(170 + 130) \div 6 = 50\,(\text{m})$이므로 A 열차와 B 열차가 1시간 동안 가는 거리의 합은 $(50 \times 60 \times 60) \div 1000 = 180\,(\text{km})$입니다.
따라서, B 열차는 1시간에 $180 - 60 = 120\,(\text{km})$를 갑니다.

2 열차가 $1320 - 912 = 408\,(\text{m})$를 가는 데 $30 - 22 = 8\,(\text{초})$ 걸렸으므로 고속열차는 매초 $408 \div 8 = 51\,(\text{m})$를 가고, 고속열차의 길이는 $51 \times 22 - 912 = 210\,(\text{m})$입니다.
따라서, 보통열차를 만났다가 떨어지기까지는 $(210 + 130) \div (51 + 34) = 4\,(\text{초})$가 걸립니다.

3 전철이 32초 동안 달린 거리는 $32 \times 18 = 576\,(\text{m})$이므로 철교의 길이는 $576 \div \dfrac{3}{4} = 768\,(\text{m})$입니다.

따라서, 전철이 $32 + 16 = 48\,(\text{초})$ 동안 달린 거리는 $18 \times 48 = 864\,(\text{m})$이므로, 전철의 길이는 $864 - 768 = 96\,(\text{m})$입니다.

---

11 남고 모자람의 관계를 이용하여 해결하기

확인문제 ● p.64

1 13, 19   2 8명
3 45개

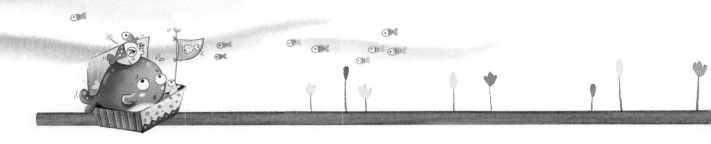

2 $(13+19) \div (8-4) = 8$(명)

3 $4 \times 8 + 13 = 45$(개)

동메달 따기 p. 65 ~ 66

1 사람 수 : 7명, 연필 수 : 33자루
2 144장　　　　　**3** 22개
4 6000원
5 의자 수 : 12개, 사람 수 : 120명
6 500개

---

1 사람 수를 □명이라 하면

2자루 차이 $\langle$ 4자루 $\xrightarrow{\times\square}$ 5자루 남음 / 6자루 $\xrightarrow{\times\square}$ 9자루 부족 $\rangle$ 14자루 차이

따라서, 사람 수는 $14 \div 2 = 7$(명)이고, 연필 수는 $4 \times 7 + 5 = 33$(자루)입니다.

2 사람 수를 □명이라 하면

6장 차이 $\langle$ 20장 $\xrightarrow{\times\square}$ 24장 남음 / 26장 $\xrightarrow{\times\square}$ 12장 부족 $\rangle$ 36장 차이

따라서, 사람 수는 $36 \div 6 = 6$(명)이고, 딱지 수는 $6 \times 20 + 24 = 144$(장)입니다.

3 사람 수를 □명이라 하면

2개 차이 $\langle$ 4개 $\xrightarrow{\times\square}$ 6장 부족 / 6개 $\xrightarrow{\times\square}$ 20장 부족 $\rangle$ 14개 차이

따라서, 사람 수는 $14 \div 2 = 7$(명)이므로 초콜릿 수는 $4 \times 7 - 6 = 22$(개)입니다.

4 연필을 20자루 살 돈으로 공책을 20권 샀다면 $150 \times 20 = 3000$(원) 부족한 셈입니다.
모두 공책을 산 것으로 생각하여, 공책 한 권의 값을 □원으로 생각하면

8권 차이 $\langle$ 공책 12권 $\xrightarrow{\times\square}$ 600원 남음 / 공책 20권 $\xrightarrow{\times\square}$ 3000원 부족 $\rangle$ 3600원 차이

따라서, 공책 한 권의 값은 $3600 \div 8 = 450$(원)이므로 동민이가 가지고 있는 돈은

$12 \times 450 + 600 = 6000$(원)입니다.

5 의자 수가 부족한 것은 학생 수가 남는 것으로 생각합니다. 의자 수를 □개라 하면

3명 차이 $\langle$ 5명 $\xrightarrow{\times\square}$ 60명 남음 / 8명 $\xrightarrow{\times\square}$ 24명 남음 $\rangle$ 36명 차이

따라서, 의자 수는 $36 \div 3 = 12$(개)이므로 학생 수는 $5 \times 12 + 60 = 120$(명)입니다.

6 클립을 35개씩 넣을 때 빈 통이 1개 남고 클립을 넣는 마지막 통에는 10개의 클립이 담긴다는 것은 빈 통에 들어갈 클립 35개와 마지막 통에 들어갈 클립 $35 - 10 = 25$(개),
즉 $35 + 25 = 60$(개)의 클립이 부족하다는 뜻과 같습니다. 통의 수를 □개라 하면

5개 차이 $\langle$ 30개 $\xrightarrow{\times\square}$ 20개 남음 / 35개 $\xrightarrow{\times\square}$ 60개 부족 $\rangle$ 80개 차이

따라서, 통의 개수는 $80 \div 5 = 16$(개)이고, 클립 수는 $30 \times 16 + 20 = 500$(개)입니다.

은메달 따기 p. 67 ~ 68

1 18명　　　　　**2** 8800원
3 152쪽　　　　**4** 99개
5 13명
6 학생 수 : 7명, 공책 수 : 36권

---

1 한 개에 400원짜리 지우개를 사려면 $400 \times 7 = 2800$(원)이 부족하게 됩니다.
학생 수를 □명이라 하면

200원 차이 $\langle$ 400원 $\xrightarrow{\times\square}$ 2800원 부족 / 200원 $\xrightarrow{\times\square}$ 800원 남음 $\rangle$ 3600원 차이

따라서, 학생 수는 $3600 \div 200 = 18$(명)입니다.

2 한 개에 800원짜리 토마토를 사려면 $800 \times 4 = 3200$(원)이 부족하게 됩니다.
토마토 수를 □개라 하면

300원
차이 $\Big\langle$ 800원 $\xrightarrow{\times\square}$ 3200원 부족 $\rangle$ 4500원
500원 $\xrightarrow{\times\square}$ 1300원 남음 $\rangle$ 차이

따라서, 토마토 수는 $4500\div300=15$(개)이므로 영수가 가지고 있던 돈은
$800\times15-3200=8800$(원)입니다.

3 매일 24쪽씩 읽을 때, 마지막 날 읽을 쪽수는
$24-8=16$(쪽)이 부족한 셈입니다.
위인전을 읽은 날수를 $\square$일이라 생각하면

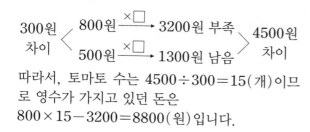

4쪽
차이 $\Big\langle$ 24쪽 $\xrightarrow{\times\square}$ 16쪽 부족 $\rangle$ 28쪽
28쪽 $\xrightarrow{\times\square}$ 44쪽 부족 $\rangle$ 차이

따라서, 위인전을 읽은 날수는 $28\div4=7$(일)이고, 위인전의 쪽수는 $24\times7-16=152$(쪽)입니다.

4 사과를 매일 6개씩 주면 마지막 날에는
$6-3=3$(개)가 부족한 셈입니다. 날수를 $\square$일이라 하면

3개
차이 $\Big\langle$ 6개 $\xrightarrow{\times\square}$ 3개 부족 $\rangle$ 51개
9개 $\xrightarrow{\times\square}$ 54개 부족 $\rangle$ 차이

따라서, 날수는 $51\div3=17$(일)이고, 가지고 있는 사과는 $6\times17-3=99$(개)입니다.

5 모두에게 10개씩 주면 68개가 부족하고, 6개씩 주면 $24-(10-6)\times2=16$(개)가 부족한 셈입니다. 사람 수를 $\square$명이라 하면

4개
차이 $\Big\langle$ 10개 $\xrightarrow{\times\square}$ 68개 부족 $\rangle$ 52개
6개 $\xrightarrow{\times\square}$ 16개 부족 $\rangle$ 차이

따라서, 사람 수는 $52\div4=13$(명)입니다.

6 학생 모두에게 4권씩 주면 8권이 남고, 8권씩 주면 $26-(11-8)\times2=20$(권) 부족한 셈이므로 학생 수를 $\square$명이라 하면

4권
차이 $\Big\langle$ 4권 $\xrightarrow{\times\square}$ 8권 남음 $\rangle$ 28권
8권 $\xrightarrow{\times\square}$ 20권 부족 $\rangle$ 차이

따라서, 학생 수는 $28\div4=7$(명)이고, 공책은 $4\times7+8=36$(권)입니다.

금메달 따기 p. 69

1 71개 **2** 318장
3 124개

1 어른의 수를 기준으로 어른과 어린이 수가 같다고 생각하여 사탕을 어린이에게 3개씩, 어른에게 2개씩 주면 $30+3\times2=36$(개) 남고, 어린이에게 6개씩 어른에게 4개씩 주면 $6\times2-11=1$(개) 남는 셈이므로 어른의 수를 $\square$명이라 하면

5개
차이 $\Big\langle$ 5개 $\xrightarrow{\times\square}$ 36개 남음 $\rangle$ 35개
10개 $\xrightarrow{\times\square}$ 1개 남음 $\rangle$ 차이

따라서, 어른 수는 $35\div5=7$(명), 어린이 수는 $7+2=9$(명)이므로 사탕은
$9\times3+7\times2+30=71$(개)입니다.

2 모두에게 12장씩 나누어 주면 6장 부족하고, 모두에게 10장씩 나누어 주면
$22+(14-10)\times4+(12-10)\times5=48$(장)이 남게 되므로 사람 수를 $\square$명이라 하면

2장
차이 $\Big\langle$ 12장 $\xrightarrow{\times\square}$ 6장 부족 $\rangle$ 54장
10장 $\xrightarrow{\times\square}$ 48장 남음 $\rangle$ 차이

따라서, 사람 수는 $54\div2=27$(명)이고, 딱지 수는 $10\times27+48=318$(장)입니다.

3 귤과 떡의 합에서 귤을 $4\times5=20$(개) 빼고, 떡을 $11\times6=66$(개)를 더하여 학생들에게 나누어 주면 남고 부족함 없이 꼭 맞게 됩니다.
따라서, 학생 수는
$(344-20+66)\div(4+11)=26$(명)이므로 귤의 개수는 $26\times4+20=124$(개)입니다.

---

12 부분을 알고 전체의 양 구하기

확인문제 p.70

1 300 **2** 100cm
3 500cm

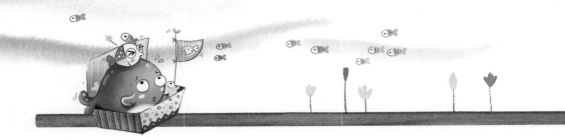

2 $300 \div 3 = 100 \text{(cm)}$

3 $100 \times 5 = 500 \text{(cm)}$

동메달 따기 p. 71 ~ 72

1 40쪽	**2** 7200원
3 30명	**4** 81
5 35개	**6** 60

1 $32 \div \dfrac{4}{5} = 40 \text{(쪽)}$

2 $2700 \div \dfrac{3}{8} = 7200 \text{(원)}$

3 안경을 쓰지 않은 학생은 전체의 $1 - \dfrac{3}{10} = \dfrac{7}{10}$
이고 이것은 21명을 뜻합니다.
따라서, 웅이네 반 학생은 $21 \div \dfrac{7}{10} = 30 \text{(명)}$입니다.

$21 \div 7 \times 10 = 30 \text{(명)}$

4 어떤 수는 $60 \div \dfrac{5}{9} = 108$입니다.
따라서, $108 \times \dfrac{3}{4} = 81$입니다.

5 규형이가 처음 가지고 있던 구슬은
$40 \div \left(1 - \dfrac{2}{7}\right) = 56 \text{(개)}$입니다.
따라서, 규형이가 처음에 가지고 있던 구슬의 $\dfrac{5}{8}$
는 $56 \times \dfrac{5}{8} = 35 \text{(개)}$입니다.

6 어떤 수를 1이라 하면

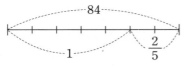

위의 그림에서 1의 크기는 $84 \div \left(1 + \dfrac{2}{5}\right) = 60$
이므로, 어떤 수는 60입니다.

$84 \div (2 + 5) \times 5 = 60$

은메달 따기 p. 73 ~ 74

1 92개	**2** 121
3 22개	**4** 2560개
5 39m	**6** 240개

1 곰보빵의 수를 1이라 하면

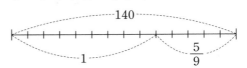

위의 그림에서 1의 크기는 $140 \div \left(1 + \dfrac{5}{9}\right) = 90$이
므로, 곰보빵의 수는 90입니다.
따라서, 마늘빵의 수는 $90 + 2 = 92 \text{(개)}$입니다.

2 ★을 1이라 하면

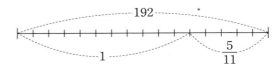

위의 그림에서 1의 크기는
$192 \div \left(1 + \dfrac{5}{11}\right) = 132$이므로, ★은 132입니다.
따라서, $132 \times \dfrac{11}{12} = 121$입니다.

3 사탕의 수가 초콜릿 수의 $\dfrac{3}{8}$이므로, 초콜릿 수를
⑧로 놓으면 사탕의 수는 ③입니다.

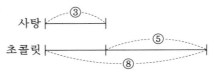

위의 그림에서 ⑤에 해당하는 수가 10개이므로
①에 해당하는 수는 $10 \div 5 = 2 \text{(개)}$입니다. 따라
서, 사탕과 초콜릿은 $2 \times (③ + ⑧) = 22 \text{(개)}$입니
다.

4

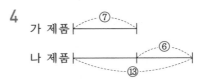

위의 그림에서 ⑥에 해당하는 수가 768개이므로

①에 해당하는 수는 $768÷⑥=128$(개)입니다.
따라서, 가 제품과 나 제품은
$128×(⑦+⑬)=2560$(개)입니다.

5 용희의 색 테이프 길이를 1로 놓으면 율기의 색 테이프 길이는 $\frac{6}{7}$이므로 $1-\frac{6}{7}=\frac{1}{7}$이 3m임을 알 수 있습니다.

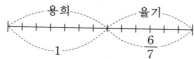

따라서, 색 테이프 전체 길이는 $3×13=39$(m) 입니다.

6 전체 구슬 수를 1로 놓으면

따라서, $37+17=54$(개)는 전체 구슬 수의 $1-\left(\frac{3}{8}+\frac{2}{5}\right)=\frac{9}{40}$이므로 구슬은
모두 $54÷9×40=240$(개)입니다.

금메달 따기   p. 75

1 효근 : 3200원, 율기 : 9600원
2 40개   3 2120명

1 율기가 가지고 있던 돈을 3, 효근이가 가지고 있던 돈을 1로 놓으면 두 사람의
남은 돈의 합은 $(3-1)+\left(1-\frac{1}{4}\right)=2\frac{3}{4}$이고 이 것은 8800원을 뜻하므로
효근이는 $8800÷2\frac{3}{4}=3200$(원),
율기는 $3200×3=9600$(원)을 가지고 있었습니다.

2 전체 과일 수를 1로 놓으면

위의 수직선에서 겹치는 부분은 전체 과일 수의

$\left(\frac{1}{2}+\frac{5}{7}\right)-1=\frac{3}{14}$이고, 이것은
$12+9=21$(개)를 뜻하므로 전체 과일 수는
$21÷\frac{3}{14}=98$(개)입니다.
따라서, 사과의 수는 $98÷2-9=40$(개)입니다.

3 전체 응시자 수를 1로 놓으면 상을 못 받은 사람과 상을 받은 사람의 합은 전체 응시자 수가 됩니다.

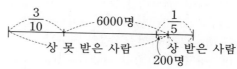

전체 응시자는
$(6000-200)÷\left\{1-\left(\frac{3}{10}+\frac{1}{5}\right)\right\}=11600$(명)
이므로 상을 받은 사람은
$11600×\frac{1}{5}-200=2120$(명)입니다.

13 전체를 한쪽으로 가정하여 해결하기

확인문제   p.76

1 40개   2 16개
3 $(56-40)÷(4-2)=8$, 8마리

1 $2×20=40$(개)
2 $56-40=16$(개)

동메달 따기   p. 77 ~ 78

1 12마리   2 10마리
3 500원짜리 : 7개, 750원짜리 : 10개
4 100원짜리 : 27개, 500원짜리 : 13개
5 15개   6 5개

1 돼지의 수를 물었으므로 36마리 모두 오리로 가정하여 식을 세웁니다. 36마리 모두 오리로 가정하면 다리 수는 $2×36=72$(개)이지만 실제는

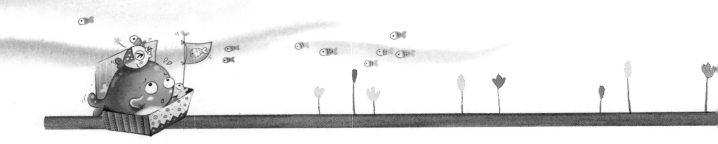

96개이므로, 돼지의 수는
(96−72)÷(4−2)=12(마리)입니다.
전체의 차 개별의 차

2 23마리 모두 양으로 가정하면 다리 수는
4×23=92(개)이지만 실제는 72개이므로, 공작새의 수는 (92−72)÷(4−2)=10(마리)입니다.

3 17개 모두 500원짜리를 산 것으로 가정하면 돈은 500×17=8500(원)이지만 실제는 11000원이므로, 750원짜리 아이스크림의 개수는
(11000−8500)÷(750−500)=10(개)입니다.
또, 500원짜리는 17−10=7(개)입니다.

4 40개 모두 100원짜리로 가정하면 금액은
100×40=4000(원)이지만 실제는 9200원이므로, 500원짜리의 개수는
(9200−4000)÷(500−100)=13(개)입니다.
또, 100원짜리는 40−13=27(개)입니다.

5 귤과 사과를 사는 데 든 비용은
10000−2650=7350(원)입니다. 24개 모두 사과를 산 것으로 가정하면 비용은
400×24=9600(원)이지만 실제 비용은 7350원이므로, 귤의 개수는
(9600−7350)÷(400−250)=15(개)입니다.

6 음료수를 사는 데 필요한 비용은
10000+1050=11050(원)입니다. 14개 모두 700원짜리로 산다고 가정하면 비용은
700×14=9800(원)이지만 실제 필요한 비용은 11050원이므로, 950원짜리 음료수의 개수는
(11050−9800)÷(950−700)=5(개)입니다.

은메달 따기   p. 79 ~ 80

1 200개		**2** 45000원
3 21권		**4** 2800원
5 7분		**6** 4분

1 12상자 모두 큰 상자로 가정하면 귤의 수는

48×12=576(개)이지만 실제는 392개이므로, 작은 상자의 개수는
(576−392)÷(48−25)=8(상자)입니다.
따라서, 25×8=200(개)입니다.

2 45개 모두 물건 A를 산 것으로 가정하면 비용은 1200×45=54000(원)이지만 실제 비용은 69000원이므로, 물건 B의 개수는
(69000−54000)÷(1800−1200)=25(개)입니다.
따라서, 1800×25=45000(원)입니다.

3 한초가 낸 돈은 3000×0.7=2100(원), 예슬이가 낸 돈은 $2100×1\frac{2}{3}=3500$(원)이므로 공책을 사는 데 든 돈은 2100+3500=5600(원)입니다. 25권 모두 350원짜리 공책을 산 것으로 가정하면 돈은 350×25=8750(원)이지만 실제는 5600원이므로, 200원짜리 공책을
(8750−5600)÷(350−200)=21(권) 산 것입니다.

4 바나나와 키위를 사는 데 든 돈은
$8000×\frac{4}{5}−1400=5000$(원)입니다.
18개 모두 키위를 산 것으로 가정하면 돈은 200×18=3600(원)이지만 실제는 5000원이므로, 바나나의 개수는
(5000−3600)÷(400−200)=7(개)입니다.
따라서, 400×7=2800(원)입니다.

5 20분 내내 매분 160m의 빠르기로 조깅을 한 것으로 가정하면 간 거리는 160×20=3200(m)이지만 실제는 3340m이므로, 매분 180m의 빠르기로 조깅을 한 시간은
(3340−3200)÷(180−160)=7(분)입니다.
따라서, A지점에서 B지점까지 걸린 시간은 7분입니다.

6 9분 내내 매분 90m의 빠르기로 걸은 것으로 가정하면 걸은 거리는 90×9=810(m)이지만 실제는 738m이므로, 매분 72m의 빠르기로 걸은 시간은 (810−738)÷(90−72)=4(분)입니다. 따라서, 효근이가 은행에서 가영이네 집까지 걷는 데 걸린 시간은 4분입니다.

금메달 따기
p. 81

1 20일 **2** 22분
3 3분 30초 분량의 노래, 4곡

1 30일 내내 1320원씩에 먹은 것으로 가정하면 지불할 돈은 $1320 \times 30 = 39600$(원)이지만 실제는 37320원을 지불하였으므로, 1200원씩에 먹은 날 수는
$(39600 - 37320) \div (1320 - 1200) = 19$(일)입니다. 따라서, $19 + 1 = 20$(일)부터 가격이 올랐습니다.

2 신형 기계는 1분당 $20 \times 1.5 = 30$(개)의 제품을 생산합니다. 40분 내내 신형 기계를 가동시킨 것으로 가정하면 제품은 $30 \times 40 = 1200$(개)이지만 실제는 980개이므로, 구형 기계를 가동시킨 시간은 $(1200 - 980) \div (30 - 20) = 22$(분)입니다.

3 20곡 모두 3분 30초 분량의 노래로 가정하면 4분 10초 분량의 노래는
$\left(75\frac{1}{3} - 20 \times 3\frac{1}{2}\right) \div \left(4\frac{1}{6} - 3\frac{1}{2}\right) = 8$(곡)이므로, 3분 30초 분량의 노래는 $20 - 8 = 12$(곡)입니다. 따라서, 3분 30초 분량의 노래가 $12 - 8 = 4$(곡) 더 녹음되어 있습니다.

14 전체의 차를 개별의 차로 나누어 해결하기

확인문제
p.82

1 200원
2 $1800 \div (500 - 300) = 9$, 9개
3 4500원

1 $500 - 300 = 200$(원)
3 $500 \times 9 = 4500$(원)

동메달 따기
p. 83 ~ 84

1 5달 **2** 35명
3 8000원 **4** 1600원
5 280쪽 **6** 72개

1 두 사람의 저금액은 매달
$4500 - 3000 = 1500$(원)씩 차이가 납니다.
7500원은 전체의 차이므로 개별의 차인 1500원으로 나누면 저금한 달 수를 알 수 있습니다. 따라서, $7500 \div (4500 - 3000) = 5$(달)입니다.

2 1명당 $680 - 500 = 180$(원)의 비용이 더 드는 셈이므로, 학생 수는 $6300 \div 180 = 35$(명)입니다.

3 사려던 사과의 개수는
$1000 \div (400 - 350) = 20$(개)이므로, 처음에 가지고 가신 돈은 $400 \times 20 = 8000$(원)입니다.

4 두 사람이 각각 사려던 과일의 개수는
$2000 \div (450 - 200) = 8$(개)입니다.
따라서, 석기가 귤을 사는 데 쓴 돈은
$200 \times 8 = 1600$(원)입니다.

5 하루에 $35 - 28 = 7$(쪽)씩 차이가 나며 전체적으로 56쪽의 차이가 날 때까지는
$56 \div 7 = 8$(일) 동안 책을 읽은 경우입니다.
따라서, 책은 $35 \times 8 = 280$(쪽)짜리입니다.

6 한 회마다 $8 - 5 = 3$(개)씩 차이가 나므로, 전체적으로 27개 차이가 날 때까지 꺼낸 횟수는
$27 \div 3 = 9$(번)입니다.
따라서, 구슬은 $8 \times 9 = 72$(개)입니다.

은메달 따기
p. 85 ~ 86

1 240개 **2** 10890원
3 16개 **4** 10권
5 1200m **6** 810m

1 1명에게 줄 때마다 $12 - 8 = 4$(개)씩 차이가 나

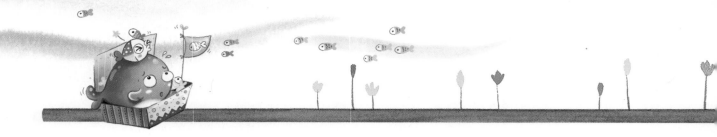

므로, 바둑돌을 받은 사람 수는 $40 \div 4 = 10$(명)이고, 한 사람당 $8 + 12 = 20$(개)씩 받았습니다. 따라서, 바둑돌은 모두 $20 \times 10 + 40 = 240$(개)입니다.

2 1명에게 줄 때마다 $9 - 6 = 3$(개)씩 차이가 나므로, 돈을 받은 사람 수는 $33 \div 3 = 11$(명)이고, 한 사람당 $10 \times 6 + 100 \times 9 = 960$(원)씩 받았습니다. 따라서, 돈은 모두
$960 \times 11 + 10 \times 33 = 10890$(원)입니다.

3 전체의 차는 $500 \times 6 = 3000$(원), 개별의 차는 $800 - 500 = 300$(원)이므로, 800원짜리 아이스크림은 $3000 \div 300 = 10$(개)입니다.
따라서, 500원짜리 아이스크림은
$10 + 6 = 16$(개)입니다.

별해
$(800 \times 6) \div (800 - 500) = 16$(개)

4 가지고 있는 돈으로 300원짜리 공책을 사면 500원짜리 공책을 살 때보다 4권 더 많이 사는 셈입니다. 전체의 차는 $300 \times 4 = 1200$(원), 개별의 차는 $500 - 300 = 200$(원)이므로, 500원짜리 공책의 수는 $1200 \div 200 = 6$(권)입니다.
따라서, 300원짜리 공책을 $6 + 4 = 10$(권) 사려고 하였습니다.

별해
$(500 \times 4) \div (500 - 300) = 10$(권)

5
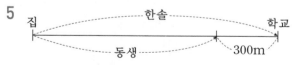

한솔이는 1분에 $80 - 60 = 20$(m)씩 앞서기 시작하여 300m까지 앞서게 된 것입니다. 이때까지 걸린 시간은 $300 \div 20 = 15$(분)이므로, 집에서 학교까지의 거리는 $80 \times 15 = 1200$(m)입니다.

6 개별의 차는 $120 - 90 = 30$(m), 전체의 차는 270m이므로, 이때까지 걸린 시간은
$270 \div 30 = 9$(분)입니다.
따라서, 율기가 걸은 거리는 $90 \times 9 = 810$(m)입니다.

금메달 따기 p. **87**

1 4950원   **2** 5000원
3 140km

1 전체의 차는 $300 \times 5 + 150 = 1650$(원), 개별의 차는 $450 - 300 = 150$(원)이므로, 사려던 450원짜리 물건의 개수는 $1650 \div 150 = 11$(개)입니다.
따라서, 가지고 있는 돈은 $450 \times 11 = 4950$(원)입니다.

2 전체의 차는 $400 \times 3 - 200 = 1000$(원), 개별의 차는 $500 - 400 = 100$(원)이므로, 사려던 500원짜리 사과의 개수는 $1000 \div 100 = 10$(개)입니다.
따라서, 준비한 돈은 $500 \times 10 = 5000$(원)입니다.

3

1시간에 60km의 빠르기로 가면 20분 늦게 도착하므로 $60 \times \frac{1}{3} = 20$(km) 못미치게 됩니다. 1시간에 빠르기의 차는 $70 - 60 = 10$(km)이므로 1시간에 70km의 빠르기로 걸린 시간은 $20 \div 10 = 2$(시간)입니다.
따라서, $70 \times 2 = 140$(km)입니다.

15 단위량의 모임을 이용하여 해결하기

확인문제 p.**88**

1 10   **2** 40000원
3 960000원

1 $1 \times 2 \times 5 = 10$

2 $400000 \div 10 = 40000$(원)

3 $40000 \times 3 \times 8 = 960000$(원)

정답과 풀이

동메달 따기 — p. 89 ~ 90

1 840000원	2 560000원
3 640000원	4 28일
5 9마리	6 4시간

1 1사람이 1일 일하는 일의 양을 1로 하면, 5사람이 3일 일하는 일의 양은 $1 \times 5 \times 3 = 15$이므로, 1사람이 1일 일하여 받는 돈은 $525000 \div 15 = 35000$(원)입니다.
따라서, 6사람이 4일 일하여 받는 임금은 $35000 \times 6 \times 4 = 840000$(원)입니다.

별해

$525000 \times \dfrac{6 \times 4}{5 \times 3} = 840000$(원)

2 1사람이 1일 일하여 받는 임금은 $720000 \div (3 \times 6) = 40000$(원)이므로, $40000 \times 7 \times 2 = 560000$(원)을 받습니다.

별해

$720000 \times \dfrac{7 \times 2}{3 \times 6} = 560000$(원)

3 1사람이 1시간 일하여 받는 임금은 $160000 \div (4 \times 5) = 8000$(원)이므로, $8000 \times 10 \times 8 = 640000$(원)입니다.

별해

$160000 \times \dfrac{10 \times 8}{4 \times 5} = 640000$(원)

4 1사람이 1일 일하는 양을 1로 놓으면 전체 일의 양은 $7 \times 10 \times 2 = 140$이므로, $140 \div 5 = 28$(일) 걸립니다.

5 염소 1마리가 1일 먹는 풀의 양은 $96 \div (4 \times 8) = 3$(kg)이므로, $135 \div (3 \times 5) = 9$(마리)입니다.

6 1사람이 1시간 일하여 받는 임금은 $90000 \div (3 \times 3) = 10000$(원)이므로, $200000 \div (10000 \times 5) = 4$(시간)입니다.

은메달 따기 — p. 91 ~ 92

1 24일	2 36일
3 20명	4 52명
5 75일	6 37일

1 닭 1마리가 1일 먹는 사료의 양을 1로 하면 사료 전체의 양은 $1 \times 20 \times 30 = 600$입니다.
따라서, $600 \div (20 + 5) = 24$(일)입니다.

2 창고에 쌓아 놓은 사료 전체의 양을 $30 \times 30 \div \dfrac{5}{9} = 1620$으로 생각하면, 먹을 수 있는 날 수는 $1620 \div 45 = 36$(일)입니다.

3 전체 일의 양을 $11 \times 15 \div 0.75 = 220$으로 놓으면, 필요한 사람 수는 $220 \div 11 = 20$(명)입니다.

4 1명이 1일 일하는 양을 1로 하면, 전체 일의 양은 $12 \times 8 \times 4 = 384$입니다.
따라서, 필요한 사람은 $384 \div 6 = 64$(명)이므로, 더 필요한 사람은 $64 - 12 = 52$(명)입니다.

5 필요한 전체 생산량을 $10 \times 15 \div \dfrac{2}{5} = 375$로 생각하면 남은 생산량은 $375 \times \dfrac{3}{5} = 225$입니다.
따라서, 앞으로 $225 \div 3 = 75$(일) 걸립니다.

6 전체 생산량을 $50 \times 12 \div \dfrac{3}{8} = 1600$으로 볼 때, 나머지 생산량은 $1600 \times \dfrac{5}{8} = 1000$이므로, 나머지 생산량을 생산하는 데 필요한 날 수는 $1000 \div 40 = 25$(일)입니다. 따라서, 처음부터 $12 + 25 = 37$(일) 걸립니다.

금메달 따기 — p. 93

1 10명	2 32일
3 9명	

1 1명이 1일 일하는 양을 1로 하면, 전체 일의 양을 $15 \times 24 = 360$입니다.
따라서, $360 \div (24 + 12) = 10$(명)이 일을 한 셈입니다.

2 일의 총량을 $5×40=200$으로 생각하면, 12일 동안 한 일의 양은 $5×12=60$이므로 남은 일의 양은 $200-60=140$이고 남은 일을 하는 데 걸린 날 수는 $140÷(5+2)=20(일)$입니다.
따라서, $12+20=32(일)$입니다.

3 일의 총량을 $4×25=100$으로 생각하면 나머지 일의 양은 $100×\dfrac{4}{100}=4$이므로, 할 일의 양은 $100-4=96$입니다. 또, 6일 동안 할 일의 양은 $10×6=60$이므로 4일 동안 할 일의 양은 $96-60=36$입니다.
따라서, $36÷4=9(명)$입니다.

16 어떤 수량을 주어진 차나 비율로 분배하기

확인문제   p.94

1 12200, 1000, 1200
2 $\{12200-(1000×2+1200)\}÷3=3000$, 3000원
3 효근 : 4000원, 율기 : 5200원

3 효근 : $3000+1000=4000(원)$
    율기 : $4000+1200=5200(원)$

동메달 따기   p.95~96

1 2m 90cm   **2** 60개
3 64개   **4** 23개
5 30개   **6** 84장

1

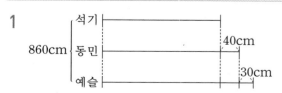

위 선분도에서 석기의 철사는
$\{860-(40×2+30)\}÷3=250(cm)$이므로,

동민이의 철사는 $250+40=290(cm)$입니다.
따라서, 2m 90cm입니다.

2

위 선분도에서 호두의 개수는
$\{120-(20×2+20)\}÷3=20(개)$이므로, 도토리의 개수는 $20+20+20=60(개)$입니다.

3 흰 바둑돌 수를 1로 생각하면 검은 바둑돌 수는 4입니다. 따라서, 흰 바둑돌 수는
$80÷(1+4)=16(개)$이므로, 검은 바둑돌은 $80-16=64(개)$입니다.

별해

$80×\dfrac{4}{1+4}=64(개)$

4 한초가 가진 구슬 수를 ①로 하여 선분도를 그려 봅니다.

위 선분도에서 ①+②=③에 해당하는 구슬 수는 $33-3=30(개)$이므로, 한초는
$30÷3=10(개)$, 동민이는 $33-10=23(개)$입니다.

5 율기의 사탕 수를 ①로 하여 선분도를 그려 봅니다.

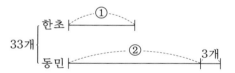

위 선분도에서 ①+③=④에 해당하는 사탕 수는 $43+9=52(개)$이므로, 율기는
$52÷4=13(개)$, 한별이는 $43-13=30(개)$입니다.

6

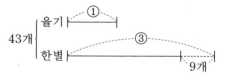

위 선분도에서 예슬의 색종이는
$147 \div (1+2+4) = 21$(장)이므로, 가영이의
색종이는 $21 \times 4 = 84$(장)입니다.

은메달 따기 p. 97 ~ 98

1 80cm	**2** 2300원
3 28개	**4** 140cm
5 21자루	**6** 1300원

1 긴 막대의 길이를 ④로 하면 짧은 막대의 길이는
③+10cm입니다.

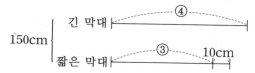

위 선분도에서 ④+③=⑦은
$150-10=140$(cm)에 해당하므로, 긴 막대의
길이는 $140 \div 7 \times 4 = 80$(cm)입니다.

2 효근이의 돈을 ⑤로 하면 용희의 돈은 ②+300
원입니다.

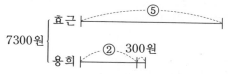

위 선분도에서 ⑤+②=⑦은
$7300-300=7000$(원)에 해당하므로, 용희의
돈은 $7000 \div 7 \times 2 + 300 = 2300$(원)입니다.

3 배의 개수를 ①로 하여 선분도를 그려 봅니다.

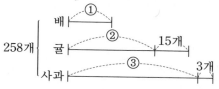

위 선분도에서 ①+②+③=⑥은
$258-(15+3)=240$(개)에 해당하므로, 배의
개수는 $240 \div 6 = 40$(개)입니다.
따라서, 귤은 $40 \times 2 + 15 = 95$(개),
사과는 $40 \times 3 + 3 = 123$(개)이므로,
$123-95=28$(개) 차이입니다.

4 동생의 키를 ①로 하여 선분도를 그려 봅니다.

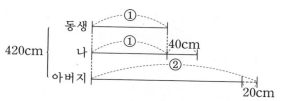

위 선분도에서 ①+①+②=④에 해당하는 것
이 $420-40+20=400$(cm)이므로, 동생의 키
는 $400 \div 4 = 100$(cm), 나의 키는
$100+40=140$(cm)입니다.

5 석기의 연필 수를 ①로 하여 선분도를 그려 봅니
다.

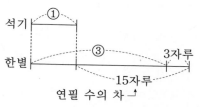

위 선분도에서 ③-①=②에 해당하는 연필 수
가 $15-3=12$(자루)이므로, 석기의 연필 수는
$12 \div 2 = 6$(자루)입니다. 따라서, 한별이의 연필
수는 $6+15=21$(자루)입니다.

6

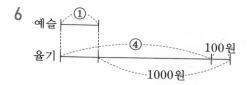

위 선분도에서 ④-①=③에 해당하는 돈은
$1000-100=900$(원)이므로, 예슬이는
$900 \div 3 = 300$(원), 율기는
$300+1000=1300$(원)입니다.

금메달 따기 p. 99

1 90개	**2** 22개
3 12개	

1 한초의 바둑돌 수를 ③으로 놓아 선분도를 그려
봅니다.

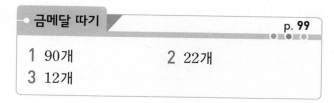

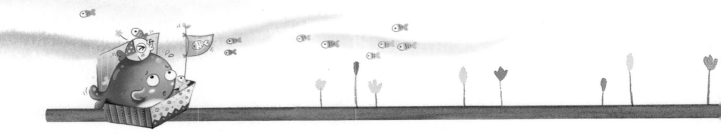

위 선분도에서 ③＋②＋⑤＝⑩은
177－(2+5)＝170(개)에 해당하므로, 효근이
는 170÷10×5+5＝90(개)입니다.

2 노란 풍선과 파란 풍선의 개수의 합은
104÷2＝52(개)입니다.

따라서, 노란 풍선의 개수는
{(52－4)÷(5+3)}×3+4＝22(개)입니다.

3 귤의 개수를 ①로 하면 귤을 사는데 든 돈은
200×①＝⑳⑳, 사과의 개수는 (②+2개)이므
로, 사과를 사는데 든 돈은
400×②+400×2＝⑧⑧⑧＋800원입니다.

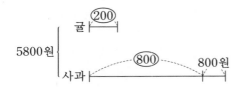

따라서, ①＝(5800－800)÷(⑳⑳+⑧⑧⑧)＝5
이므로, 귤의 개수는 5개, 사과의 개수는
5×2+2＝12(개)입니다.

17 중복과 관련된 문제 해결하기

확인문제　　　　　　　p.100

1 50, 20, 39
2 20+39－50＝9, 9명

동메달 따기　　　　　　p.101~102

1 20가구　　　　2 150가구
3 20가구　　　　4 80명
5 30명　　　　　6 130명

1 벤다이어그램을 이용하여 나타내면 다음과 같습
니다.

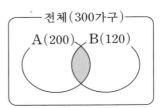

위 그림에서 색칠한 부분을 구하는 것이므로,
200+120－300＝20(가구)입니다.

2

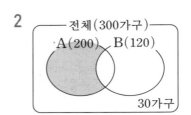

위 그림에서 색칠한 부분을 구합니다. A 또는 B
를 보는 가구가 300－30＝270(가구)이므로,
A만 보는 가구는 270－120＝150(가구)입니
다.

3

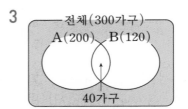

위 그림에서 색칠한 부분을 구합니다. A 또는 B
를 보는 가구는 200+120－40＝280(가구)이
므로, A와 B 중 어느 것도 보지 않는 가구는
300－280＝20(가구)입니다.

4

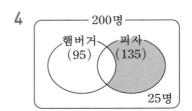

위 그림에서 색칠한 부분을 구합니다.
햄버거 또는 피자를 좋아하는 학생은
200－25＝175(명)이므로, 피자만 좋아하는
학생은 175－95＝80(명)입니다.

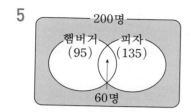

5

위 그림에서 색칠한 부분을 구합니다.
햄버거 또는 피자를 좋아하는 학생은
$95+135-60=170$(명)이므로, 둘 다 싫어하
는 학생은 $200-170=30$(명)입니다.

6

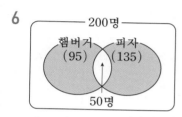

위 그림에서 색칠한 부분을 구합니다.
햄버거만 좋아하는 학생은 $95-50=45$(명), 피
자만 좋아하는 학생은 $135-50=85$(명)이므
로, $45+85=130$(명)입니다.

은메달 따기   p. 103 ~ 104

1 245명   2 240명
3 160명   4 60명
5 40명   6 450명

1

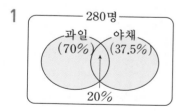

야채를 좋아하는 학생은 $\dfrac{3}{8}\times100=37.5$(%), 둘
다 좋아하는 학생은 20%입니다. 과일 또는 야
채를 좋아하는 학생은 전체의
$70+37.5-20=87.5$(%)이므로,
$280\times0.875=245$(명)입니다.

2

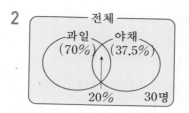

위 그림에서 과일 또는 야채를 좋아하는 학생은
전체의 $70+37.5-20=87.5$(%)이므로, 둘 다
싫어하는 학생은 전체의 $100-87.5=12.5$(%)
입니다.
따라서, 전체 학생 수는 $30\div0.125=240$(명)
입니다.

3

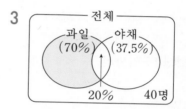

위 그림에서 색칠한 부분을 구합니다. 과일 또는
야채를 좋아하는 학생은 전체의
$70+37.5-20=87.5$(%)이므로, 둘 다 싫어
하는 학생은 전체의 $100-87.5=12.5$(%)입니
다. 따라서, 전체는 $40\div0.125=320$(명)이고,
과일만 좋아하는 학생은 전체의 50%이므로,
$320\times0.5=160$(명)입니다.

4

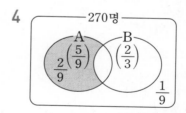

위 그림에서 A 또는 B를 가 본 학생은 전체의
$1-\dfrac{1}{9}=\dfrac{8}{9}$이므로, A만 가 본 학생은 전체의
$\dfrac{8}{9}-\dfrac{2}{3}=\dfrac{2}{9}$입니다. 따라서, $270\times\dfrac{2}{9}=60$(명)
입니다.

5

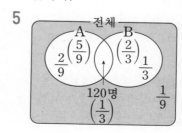

왼쪽 그림에서 A 또
는 B를 가 본 학생은
전체의 $1-\dfrac{1}{9}=\dfrac{8}{9}$
이므로, A와 B 둘
다 가 본 학생은 전체

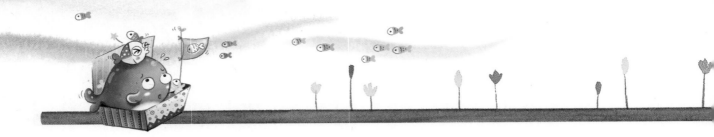

의 $\frac{5}{9} + \frac{2}{3} - \frac{8}{9} = \frac{1}{3}$ 이고, 이것은 120명을 뜻하므로, 어느 곳도 가보지 못한 학생 수는 $120 \div 3 = 40$(명)입니다.

6 5번 문제 풀이의 벤다이어그램에서, B만 가 본 학생이 전체의 $\frac{2}{3} - \frac{1}{3} = \frac{1}{3}$ 이므로, 전체 학생 수는 $150 \times 3 = 450$(명)입니다.

금메달 따기 p. **105**

1 35명   **2** 20명

3 최소 25명부터 최대 55명까지

1

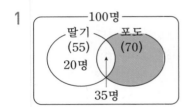

포도를 좋아하는 학생은 $\frac{7}{10} \times 100 = 70$(명)입니다. 딸기와 포도 둘 다 좋아하는 학생은 $55 - 20 = 35$(명)이므로, 포도만 좋아하는 학생은 $70 - 35 = 35$(명)입니다.

2

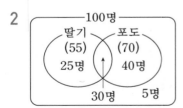

딸기만 좋아하는 학생은 $55 - 30 = 25$(명)이고, 딸기와 포도 둘 다 싫어하는 학생은 $100 - (55 + 70 - 30) = 5$(명)이므로, $25 - 5 = 20$(명)입니다.

3

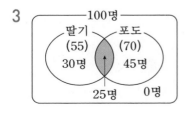

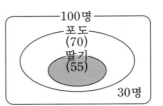

최소인 경우는 둘 다 싫어하는 학생이 없을 때이며, 최대인 경우는 둘 다 싫어하는 학생이 $100 - 70 = 30$(명)일 때입니다. 따라서, 최소 25명부터 최대 55명까지입니다.

---

18 전체 일의 양을 1로 가정하여 해결하기

확인 문제 p. **106**

1 어른 : $\frac{1}{6}$, 어린이 : $\frac{1}{12}$

2 $\frac{1}{4}$ **3** $1 \div \frac{1}{4} = 4$, 4일

2 $\frac{1}{6} + \frac{1}{12} = \frac{1}{4}$

동메달 따기 p. **107 ~ 108**

1 6시간   **2** 4일

3 6시간   **4** $\frac{1}{24}$

5 $\frac{1}{6}$ **6** 4일

1 전체 일의 양을 1로 가정하면, 석기는 1시간에 $\frac{1}{15}$ 만큼, 동민이는 1시간에 $\frac{1}{10}$ 만큼씩 일을 합니다. 따라서, $1 \div \left(\frac{1}{15} + \frac{1}{10} \right) = 6$(시간) 걸립니다.

별해

전체 일의 양을 15와 10의 최소공배수 30으로 생각하면, 석기는 1시간에 $30 \div 15 = 2$만큼, 동민이는 1시간에 $30 \div 10 = 3$만큼 일을 하므로, $30 \div (2+3) = 6$(시간) 걸립니다.

2 전체 일의 양을 1로 가정하면, 기계는 하루에 $\frac{1}{5}$씩, 사람은 하루에 $\frac{1}{20}$씩 일을 합니다. 따라서, $1 \div \left(\frac{1}{5} + \frac{1}{20}\right) = 4$(일) 걸립니다.

별해

전체 일의 양을 5와 20의 최소공배수 20으로 생각하면, 기계는 하루에 $20 \div 5 = 4$만큼, 사람은 하루에 $20 \div 20 = 1$만큼 일을 하므로, $20 \div (4+1) = 4$(일) 걸립니다.

3 전체 일의 양을 1로 가정하면, A는 1시간에 $\frac{1}{7}$씩, B는 1시간에 $\frac{1}{7 \times 6} = \frac{1}{42}$씩 일을 합니다.

따라서, $1 \div \left(\frac{1}{7} + \frac{1}{42}\right) = 6$(시간) 걸립니다.

4 전체 일의 양을 1로 할 때, 한별이와 예슬이가 하룻동안 하는 일의 양은 $\frac{1}{8}$이므로, 예슬이가 하룻동안 하는 일의 양은 전체 일의 $\frac{1}{8} - \frac{1}{12} = \frac{1}{24}$입니다.

5 전체 일의 양을 1로 할 때, 효근이와 율기가 하룻동안 하는 일의 양은 $\frac{1}{12}$이므로, 율기가 하룻동안 하는 일의 양은 $\frac{1}{12} - \frac{1}{18} = \frac{1}{36}$입니다.

따라서, 율기가 6일 동안 하는 일의 양은 전체 일의 $\frac{1}{36} \times 6 = \frac{1}{6}$입니다.

6 전체 일의 양을 1로 하면, 갑은 하루에 $\frac{1}{6}$씩, 을은 하루에 $\frac{1}{20}$씩, 병은 하루에 $\frac{1}{30}$씩 일을 합니다.

따라서, $1 \div \left(\frac{1}{6} + \frac{1}{20} + \frac{1}{30}\right) = 4$(일)입니다.

은메달 따기　　　　　　　**p. 109 ~ 110**

1 16분 40초	**2** $\frac{1}{24}$
3 10%	**4** 1할 2푼 5리
5 4일	**6** 7일

1 물탱크에 가득 찬 물의 양을 1로 하면, A 수도관으로는 1분에 $\frac{1}{25}$씩, B 수도관으로는 1분에 $\frac{1}{50}$씩 넣습니다.

따라서, $1 \div \left(\frac{1}{25} + \frac{1}{50}\right) = 16\frac{2}{3}$(분)이 걸리므로, 16분 40초입니다.

2 전체 일의 양을 1로 하면, 두 사람이 힘을 합하여 하루에 $\frac{1}{15}$씩 일을 합니다. 한솔이 혼자서 일을 끝내는 데는 $8 \times 5 = 40$(일) 걸리므로, 한솔이는 하루에 $\frac{1}{40}$씩 일을 합니다. 따라서, 규형이는 하루에 $\frac{1}{15} - \frac{1}{40} = \frac{1}{24}$씩 일을 합니다.

3 전체 일의 양을 1로 하면, 두 사람이 함께 1시간 일하는 양은 $\frac{1}{8} + \frac{1}{10} = \frac{9}{40}$이므로, 4시간 일하는 양은 $\frac{9}{40} \times 4 = \frac{9}{10}$입니다.

따라서, 나머지 일은 $1 - \frac{9}{10} = \frac{1}{10}$이므로, $100 \times \frac{1}{10} = 10$(%)입니다.

4 전체 일의 양을 1로 하면, 두 사람이 함께 하룻동안 일하는 양은 $\frac{1}{18} + \frac{1}{24} = \frac{7}{72}$이므로, 9일 동안 일하는 양은 $\frac{7}{72} \times 9 = \frac{7}{8}$입니다.

따라서, 나머지 일은 $1 - \frac{7}{8} = \frac{1}{8} = 0.125$이므로, 1할 2푼 5리입니다.

5 전체 일의 양을 1로 하면, 두 사람이 함께 5일 동안 한 일의 양은 $\left(\frac{1}{20} + \frac{1}{12}\right) \times 5 = \frac{2}{3}$입니다.

따라서, 나머지 일은 $1 - \frac{2}{3} = \frac{1}{3}$이므로, 한별이

혼자 일한 날수는 $\frac{1}{3} \div \frac{1}{12} = 4$(일)입니다.

6 전체 사료의 양을 1로 하면, 두 동물이 함께 3일 동안 먹은 양은 $\left(\frac{1}{9} + \frac{1}{15}\right) \times 3 = \frac{8}{15}$이므로, 나머지 사료의 양은 $1 - \frac{8}{15} = \frac{7}{15}$입니다.
따라서, 양에게만 사료를 먹인 날수는
$\frac{7}{15} \div \frac{1}{15} = 7$(일)입니다.

금메달 따기
p. 111

1 1시간 33분 20초   **2** 48일

3 5일

---

1 물탱크에 가득 찬 물의 양을 1로 하면, A 수도관 1개로 1시간에 $\frac{1}{6}$씩, B 수도관 1개로 1시간에 $\frac{1}{14}$씩 채웁니다.
따라서, $1 \div \left(\frac{1}{6} \times 3 + \frac{1}{14} \times 2\right) = 1\frac{5}{9}$(시간)이므로,
1시간 $+ \frac{5}{9}$시간 $= 1$시간 $+ 33\frac{1}{3}$분
$= 1$시간 33분 20초입니다.

2 전체 일의 양을 1로 하면, 석기는 하루에 $\frac{1}{5} \div 4 = \frac{1}{20}$씩 하므로, 한초는 하루에 $\frac{1}{15} - \frac{1}{20} = \frac{1}{60}$씩 일을 합니다.
나머지 일은 $1 - \frac{1}{5} = \frac{4}{5}$이므로, 한초 혼자 일한 날 수는 $\frac{4}{5} \div \frac{1}{60} = 48$(일)입니다.

3 전체 일의 양을 1로 하면, 동민이가 일한 양은 $\frac{1}{12} \times 8 = \frac{2}{3}$이므로, 나머지 일 $1 - \frac{2}{3} = \frac{1}{3}$을 예슬이가 한 것으로 생각할 수 있습니다.
따라서, 예슬이는 $\frac{1}{3} \div \frac{1}{15} = 5$(일) 동안 일을 도왔습니다.

총괄평가 **1**회 p. 112 ~ 116

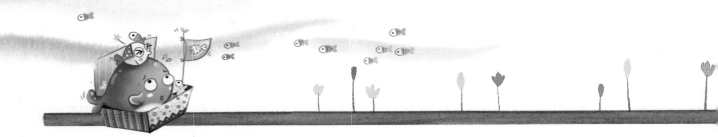

1 큰 수 : 330, 작은 수 : 270
2 4000원
3 연필 : 250원, 지우개 : 100원
4 76개   5 122개
6 1   7 1
8 웅이네 학교   9 555km
10 7년 전   11 350원
12 나 열차, 14초   13 22개
14 303장   15 40개
16 100원짜리 : 35개, 500원짜리 : 15개
17 42개   18 60명
19 40가구   20 210가구

1 두 수의 평균이 300이므로 두 수의 합은 $300 \times 2 = 600$입니다. 두 수를 각각 선분으로 나타내어 보면

따라서, 큰 수는 $(600 + 60) \div 2 = 330$, 작은 수는 $600 - 330 = 270$입니다.

2

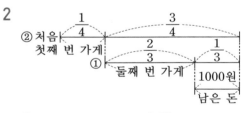

① : $1000 \times 3 = 3000$(원)
② : $3000 \div 3 \times 4 = 4000$(원)
따라서, 가영이가 처음에 가지고 있던 돈은 $(1000 \times 3) \div 3 \times 4 = 4000$(원)입니다.

3 연필 4자루와 지우개 3개는 연필 4자루와 지우개 1개와의 관계에서 지우개 2개만큼의 차이가 납니다. 지우개 2개의 값은 $1300 - 1100 = 200$(원)이므로 지우개 1개의 값은 $200 \div 2 = 100$(원)입니다.
따라서, 연필 1자루의 값은 $(1100 - 100) \div 4 = 250$(원)입니다.

4 $(20-1) \times 4 = 76$(개)

5 간격의 수는 $2700 \div 45 = 60$(개)입니다.
다리의 한쪽에 필요한 가로등이 $60 + 1 = 61$(개)
이므로 다리의 양쪽에 필요한 가로등은
$61 \times 2 = 122$(개)입니다.

6 $5 \div 13 = 0.38461538461538 \cdots$에서 반복되는
부분은 3, 8, 4, 6, 1, 5입니다.
$221 \div 6 = 36 \cdots 5$에서 반복되는 부분은 36묶음
이 되고, 숫자 5개가 남습니다.
따라서, 소수점 아래 221째 자리의 숫자는 1입
니다.

7 $3 \times 3 = 9 \Rightarrow 9$, $3 \times 3 \times 3 = 27 \Rightarrow 7$,
$3 \times 3 \times 3 \times 3 = 81 \Rightarrow 1$
$3 \times 3 \times 3 \times 3 \times 3 = 243 \Rightarrow 3$, $\cdots$이므로
일의 자리의 숫자는 3, 9, 7, 1이 반복됩니다.
따라서, 3을 500번 곱하면 $500 \div 4 = 125$에서
일의 자리의 숫자는 1입니다.

8 (용희네 학교 한 학생당 사용할 수 있는 운동장
의 넓이)$= 8892 \div 684 = 13(\text{m}^2)$
(웅이네 학교 한 학생당 사용할 수 있는 운동장
의 넓이)$= 8880 \div 592 = 15(\text{m}^2)$
따라서, 웅이네 학교 학생들이 운동장을 더 넓게
사용할 수 있습니다.

9 5시간에 375km를 달리므로 한 시간에는
$375 \div 5 = 75$(km)를 달립니다.
7시간 24분 = 7.4시간
(자동차가 7시간 24분 동안 달린 거리)
$= 75 \times 7.4 = 555$(km)

10 몇 년 전에도 침팬지와 곰의 나이 차는 항상
$40 - 18 = 22$(살)로 같습니다. 몇 년 전의 침팬
지의 나이와 곰의 나이를 그림으로 나타내면 다
음과 같습니다.

위의 그림에서 몇 년 전의 곰의 나이는
$22 \div (3-1) = 22 \div 2 = 11$(살)입니다.
따라서, 침팬지의 나이가 곰의 나이의 3배가 되
었던 것은 $18 - 11 = 7$(년) 전입니다.

11 동민이와 율기가 갖고 있는 돈은 모두

$1000 + 1500 = 2500$(원)이므로
율기가 동민이에게 돈을 주고 난 다음 율기는
$(2500 - 200) \div 2 = 1150$(원)이 됩니다.
따라서, 율기는 동민이에게
$1500 - 1150 = 350$(원)을 주었습니다.

12 (가 열차가 걸린 시간)$=(1600+110) \div 30$
$= 57$(초)
(나 열차가 걸린 시간)$=(1600+120) \div 40$
$= 43$(초)
따라서, 나 열차가 가 열차보다
$57 - 43 = 14$(초) 더 빠릅니다.

13 사람 수를 □명이라 하면

4개 차이 {
4개 $\xrightarrow{\times \square}$ 6개 부족
8개 $\xrightarrow{\times \square}$ 34개 부족
} 28개 차이

따라서, 사람 수는 $28 \div 4 = 7$(명)이므로
초콜릿 수는 $4 \times 7 - 6 = 22$(개)입니다.

14 사람 수를 □명이라 하면

4장 차이 {
25장 $\xrightarrow{\times \square}$ 28장 남음
29장 $\xrightarrow{\times \square}$ 16장 부족
} 44장 차이

따라서, 사람 수는 $44 \div 4 = 11$(명)이고,
딱지 수는 $25 \times 11 + 28 = 303$(장)입니다.

15 규형이가 처음 가지고 있던 구슬은
$25 \div \left(1 - \dfrac{3}{4}\right) = 100$(개)입니다.

따라서, 구슬은 $100 \times \dfrac{2}{5} = 40$(개)입니다.

16 50개 모두 100원짜리로 가정하면 금액은
$100 \times 50 = 5000$(원)이지만 실제는 11000원이
므로 500원짜리의 개수는
$(11000 - 5000) \div (500 - 100) = 15$(개)입니다.
따라서, 100원짜리는 $50 - 15 = 35$(개)입니다.

17 전체의 차는 $550 \times 9 = 4950$(원), 개별의 차는
$700 - 550 = 150$(원)이므로 700원짜리 아이스
크림은 $4950 \div 150 = 33$(개)입니다.
따라서, 550원짜리 아이스크림은
$33 + 9 = 42$(개)입니다.

18 1명이 1일 일하는 양을 1로 하면, 전체 일의 양
은 $10 \times 7 \times 5 = 350$입니다.

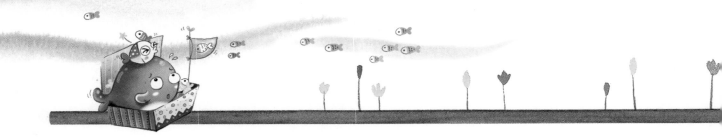

따라서, 5일 만에 일을 끝내려면
350÷5=70(명)필요하므로 더 필요한 사람은
70-10=60(명)입니다.

19

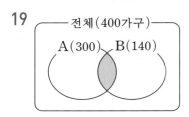

전체(400가구)

A(300) B(140)

위 그림에서 색칠한 부분을 구하는 것이므로
300+140-400=40(가구)입니다.

20

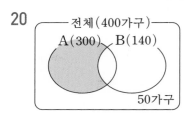

전체(400가구)

A(300) B(140)

50가구

위 그림에서 색칠한 부분을 구합니다.
A 또는 B를 보는 가구가 400-50=350(가구)
이므로 A만 보는 가구는 350-140=210(가구)
입니다.

총괄평가

2회 p. 117 ~ 120

1 250g	**2** 50개
3 사과 : 350g, 귤 : 120g	
4 52개	**5** 23그루
6 852	**7** 40년 후
8 51분	**9** 35.1L
10 45m	**11** 73개
12 1650개	**13** 43200원
14 1750원	**15** 1350000원
16 75개	**17** 25개
18 7시간	**19** $\frac{1}{15}$
20 2할 5푼	

1 빵 15개의 무게와 빈 상자 1개의 무게를 각각 선
분으로 나타내어 보면

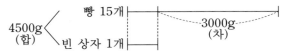

빵 15개
4500g(합)
빈 상자 1개
3000g(차)

따라서, 빵 15개의 무게는
(4500+3000)÷2=3750(g)이므로 빵 1개의
무게는 3750÷15=250(g)입니다.

2 문제를 그림으로 나타내면

```
㉮  -8   ㉯  +6   ㉰  ÷2   24
    +8       -6       ×2
```

㉰에 들어갈 수는 24×2=48, ㉯에 들어갈 수
는 48-6=42, ㉮에 들어갈 수는 42+8=50
입니다. 따라서, 규형이가 처음에 가지고 있던
구슬은 50개입니다.

3 사과 3개와 귤 2개의 무게가 1290g이므로 사과
6개와 귤 4개의 무게는 1290×2=2580(g)입
니다. 따라서, 귤 1개의 무게는
2700-2580=120(g)이고, 사과 1개의 무게
는 (1290-120×2)÷3=350(g)입니다.

4 (둘레에 놓인 구슬의 개수)÷4+1
=204÷4+1=52(개)
따라서, 가장 바깥쪽의 한 변에 놓인 구슬은 52
개입니다.

5 96, 128, 144의 최대공약수는 16이므로 은행나
무를 16m 간격으로 심습니다. 땅의 둘레의 길이
가 96+128+144=368(m)이므로 간격은
368÷16=23(개)입니다.
간격의 수와 심어야 하는 은행나무의 수가 같으
므로 23그루가 필요합니다.

6 30÷7=4.285714285714…
에서 반복되는 부분은 2, 8, 5, 7, 1, 4로 6개이
고, 이들의 합은 2+8+5+7+1+4=27입니
다. 189÷6=31…3에서 반복되는 부분은 31묶
음이고, 숫자가 3개 남습니다. 따라서,
27×31+(2+8+5)=837+15=852입니다.

7 두 손녀의 나이의 합은 1년에 2살씩 많아지고 할
머니의 연세는 1살씩 많아지므로 나이 차가 1년
마다 2-1=1(살)씩 좁혀집니다.

올해 할머니의 연세는 두 손녀의 나이의 합보다 $60-(12+8)=40$(살) 더 많으므로 나이가 같아지는 것은 40년 후입니다.

8 두 기름탱크에 들어 있는 기름의 양은 $18.2+28.4=46.6$(t)이므로 두 기름탱크의 기름의 양이 같아진 때의 기름은 각각 $46.6÷2=23.3$(t)$=23300$(kg)입니다.
따라서, $(28400-23300)÷100=51$(분) 만에 두 기름탱크의 기름의 양이 같아졌습니다.

9 두 물탱크에 들어 있는 물의 양은 $162.4+346.8=509.2$(L)입니다. 가에서 나로 물을 옮기고 난 뒤의 물의 양을 그림으로 나타내면

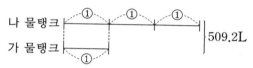

따라서, 물탱크 가의 물의 양은 $509.2÷(3+1)=127.3$(L)이므로 물탱크 가에서 나로 $162.4-127.3=35.1$(L)를 옮겨 넣었습니다.

10 두 열차의 빠르기의 합은 1초에 $(120+140)÷2=130$(m)입니다.
따라서, 보통열차는 1초에 $130-85=45$(m)의 빠르기로 달립니다.

11 사과를 매일 5개씩 주면 마지막 날에는 $5-3=2$(개)가 부족한 셈입니다.
날수를 □일이라 하면

3개 차이 ⟨ 5개 ─×□→ 2개 부족 / 8개 ─×□→ 47개 부족 ⟩ 45개 차이

따라서, 날수는 $45÷3=15$(일)이고, 가지고 있는 사과는 $5×15-2=73$(개)입니다.

12

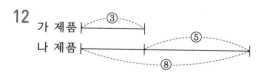

위의 그림에서 ⑤에 해당하는 수가 750개이므로 ①에 해당하는 수는 $750÷⑤=150$(개)입니다.
따라서, 가 제품과 나 제품은

$150×(③+⑧)=1650$(개)입니다.

13 40개 모두 물건 A를 산 것으로 가정하면 비용은 $1500×40=60000$(원)이지만 실제 비용은 76200원이므로, 물건 B의 개수는 $(76200-60000)÷(2400-1500)=18$(개)입니다.
따라서, $2400×18=43200$(원)입니다.

14 두 사람이 각각 산 과일의 개수는 $2450÷(600-250)=7$(개)입니다.
따라서, 석기가 귤을 사는 데 쓴 돈은 $250×7=1750$(원)입니다.

15 1사람이 1일 일하여 받는 임금은 $1200000÷(6×4)=50000$(원)이므로, $50000×9×3=1350000$(원)을 받습니다.

별해

$1200000×\dfrac{9×3}{6×4}=1350000$(원)

16 빨간색 구슬 수를 1로 생각하면 파란색 구슬 수는 3입니다.
따라서, 빨간색 구슬 수는 $100÷(1+3)=25$(개)이므로, 파란색 구슬은 $100-25=75$(개)입니다.

17 규형이의 사탕 수를 ①로 하여 선분을 그려 봅니다.

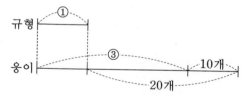

위 선분에서 $③-①=②$에 해당하는 사탕 수가 $20-10=10$(개)이므로, 규형이의 사탕 수는 $10÷2=5$(개)입니다.
따라서, 웅이의 사탕 수는 $5+20=25$(개)입니다.

18 전체 일의 양을 1로 가정하면, A는 1시간에 $\dfrac{1}{8}$씩, B는 1시간에 $\dfrac{1}{8×7}=\dfrac{1}{56}$씩 일을 합니다.
따라서, $1÷\left(\dfrac{1}{8}+\dfrac{1}{56}\right)=7$(시간) 걸립니다.

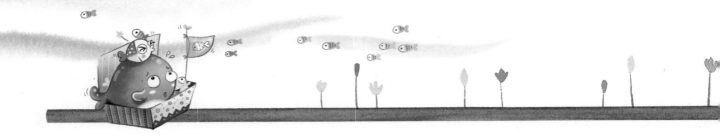

19 전체 일의 양을 1로 할 때, 한별이와 예슬이가 하룻동안 하는 일의 양의 합은 $\frac{1}{6}$이므로, 예슬이가 하룻동안 하는 일의 양은 전체 일의 $\frac{1}{6}-\frac{1}{10}=\frac{2}{30}=\frac{1}{15}$입니다.

20 전체 일의 양을 1로 하면, 두 사람이 함께 하룻동안 일하는 양은 $\frac{1}{20}+\frac{1}{40}=\frac{3}{40}$이므로, 10일 동안 일하는 양은 $\frac{3}{40}\times10=\frac{3}{4}$입니다.

따라서, 나머지 일은 $1-\frac{3}{4}=\frac{1}{4}=0.25$이므로, 2할 5푼입니다.

Memo

Memo

6학년이 꼭 ✓ 알아야 한
수학 문장제

정답과 풀이

▍수학의 기초인 연산 능력 강화 교재

	신기한 연산왕	꼭알 수와 연산	꼭알 사고력 연산
구성	• 단계별 교재(총16단계)	• 초등 1~6학년 • 연간용	• 초등 1~2학년(단권) • 초등 3~6학년(상·하권)
특징	• 단기간 내 빠르게 연산 능력을 향상 시켜주는 교재	• 수연산 영역의 반복학습을 통한 계산 능력 향상 교재	• 연산 능력과 사고력 향상을 위한 교재

▍방학 특강, 보충학습에 유용한 영역별 교재

	꼭알 수학 문장제	꼭알 도형	꼭알 수학 서술형
구성	• 초등 1~6학년 • 연간용	• 초등 2~6학년 • 연간용	• 초등 3~6학년 • 학기용 (1, 2학기)
특징	• 문제해결력 향상을 위한 유형별 문장 제 교재	• 도형의 개념부터 응용까지 도형영역 집중학습 교재	• 단원별 출제빈도가 높은 서술형 학교 시험 대비 교재

꼭알 시리즈

수와 연산
수학의 기초인 수와 연산을 이해하여 빠르고
정확한 계산 능력을 키울 수 있는 교재입니다.
1~6학년(학년용)

사고력 연산
기초 연산 능력을 향상시키는 동시에 다양한
사고를 통해 연산을 함으로써 지루함 없이
재미를 느낄 수 있도록 구성한 교재입니다.
1~6학년(학년용)

수학 문장제
각 학년별로 나올 수 있는 문장제 문제를
유형별로 학습하여 문제해결력을 증진하고,
사고력을 높일 수 있는 교재입니다.
1~6학년(학년용)

도형
각 학년별 도형에 대한 개념을 이해하고
다양한 문제를 통하여 문제해결력과 사고력을
높일 수 있는 교재입니다.
2~6학년(학년용)

수학 서술형
각 단원별로 학교 시험에 자주 출제되는
서술형 문제를 제시된 표준 풀이 과정과 함께
학습하면서 자연스럽게 문제 해결 방법이
익혀지도록 구성된 교재입니다.
3~6학년(1·2학기용)

[정가 : 10,000원]

63410

9 788925 920795
ISBN 978-89-259-2079-5

KC

⚠ 주 의
• 책의 날카로운 부분에 다치지 않도록 주의하세요.
• 화기나 습기가 있는 곳에 가까이 두지 마세요.

(주)에듀왕은 어린이제품안전특별법을 준수하여 어린이가 안전한
환경에서 학습할 수 있도록 노력하고 있습니다.
KC마크는 이 제품이 공통안전기준에 적합하였음을 의미합니다.

펴낸곳 (주)에듀왕
펴낸이 박명전
주소 (10955) 경기도 파주시 광탄면 세류길 101 에듀왕 B/D
출판신고 제 406-2007-00046호
대표전화 1644-0761
홈페이지 www.eduwang.com
이 책에 실린 모든 삽화 및 편집 형태에 대한 모든 저작권은 (주)에듀왕에 있으므로 무단 전재 및 복제 행위는
저작권법에 처벌될 수 있습니다.
무단 전재, 불법 유통 신고처 070-4861-4813

6학년이 꼭 ✓ 알아야 한
수학 문장제